MY BASIC, MY ICONS
10年後も着たい服

福田麻琴
FUKUDA MAKOTO

イースト・プレス

はじめに

「ＭＹ ＢＡＳＩＣ，ＭＹ ＩＣＯＮＳ」

タイトル通り、この本はブランドの名品であり、私の宝物を集めた本です。

そんな私は一体どんなやつかと申しますと、かれこれ長いことスタイリストをしております。

主に女性誌のスタイリングをしてきました。

服からライフスタイルまで、なんでもスタイリングするのが大好きです。

今はスタイリング以外にもこうして執筆をしたり、オンラインショップのバイイングをしたりしています。

仕事柄、毎日たくさんのものに触れ合いますので、その良し悪しを判断するのは少しだけ得意です。

ものは、高いから良い、ブランドだからいい、というものではありません。

安くても可愛いものや長く使えるものはたくさんあるし、ブランドものでもまったく出番がないものも。この本では色々織り交ぜながら、ご紹介したいと思っています。

スタイリストになって20年。

こだわりは強いと思いますが、それ以外のことは異常に柔軟なので、この仕事は天職だと思っています。

これじゃなきゃ！という決まったものはなく、その日の天気やスタッフや企画、とにかくそこにあるもので一番楽しいことをしようといつも企んでいます。

スタイリストはスタイリングがメインの仕事ですが、マーケティングも大事な仕事のひとつです。

どんな風に見せて、欲しい人へ届けるか。

服でも、服じゃなくても、作る人と買う人を繋ぐ役割も担っていると思うんです。

それが欲しい人はどんな人だろう？　似合う人は？

どんなライフスタイルを送っているんだろう？

そんなことを考えながら企画と向き合う時間はいつもワクワクしています。

スタイリングとはまた別の脳を使いますが、今の私はこの時間が一番好きかもしれません。

色々な意味で、スタイリストは〝目利き〟です。

常にアンテナを張って、新しいもの、素敵なものを選び、組み合わせ、提案する。それには時代を読む力も必要ですし、よりよいものを探求し続けなければいけません。

なんて書くとちょっと大袈裟ですが、直感さえあればこの仕事はとても楽しい仕事なんです。

だからスタイリストに必要な努力は、選ぶ直感が鈍らないよう常に自分をリフレッシュさせることじゃないかな。

私の場合、習い事をしたり、本を読んだり、旅をしたり、一人の時間を作ったりすること。

この本にこれから登場するものは、自称〝目利き!?〟の私が選んだスタイリングに欠かせないものたちです。

特別な思い出のつまった高価なジュエリーや時計から、デニムやボーダーなど本当に毎日着ているユニフォームのようなものまで、そのものとの出会いやそれにまつわるエピソードを、一生懸命思い出しながら書きました。

なぜベーシックアイテムになったのか、なぜアイコニックなアイテムとなったのか。

記憶は薄れゆくものですが、意外と鮮明に覚えているものですね。

ひとつのものと向き合っていると自然とその頃の景色が思い出されます。

手に取った時の重み、ドキドキしている心臓の音、その時つけていた香水の匂いまで。

少しずつ集めてきたこのアイテム達が、今の私のベーシックスタイルを作っているんだなぁ。

スタイリストとして歩んできた20年間を記念して、こうして形に残せることをとても嬉しく思います。

これからみなさんが新しい宝物に出会うきっかけになったら嬉しいです。

福田麻琴

目次

CHAPTER 1. Tops

CHAPTER
2.
Bottoms

CHAPTER
3.
Outer

CHAPTER
4.
Shoes, Bags

COLUMN

CHAPTER

1.

Tops

トップスで〝なりたい私〟を演出する

第一印象を決める一番大事なアイテムはトップスかもしれません。

Tシャツ、シャツ、ブラウス、ニット……。

素材もデザインも色も、とにかく種類がたくさんあります。

最終はコーディネートがその人らしさにもなるけど、顔に近いアイテムなので、やっぱり最初の印象は顔と一緒にトップスを記憶することになるでしょう。

だから大事なんです。

私は最近〝無理しないおしゃれ〟を心がけているので、コーディネートを作る時はまずは靴から。

雨なのか、どこへ行くのか、誰に会うのか、それによってざっくり靴を決めます。

足元が快適だと心も軽やかなものです。

だから、雨を嫌がって一日中憂鬱な気持ちで過ごすこともありません。

ただ、まだエレガントな雨靴に出会えていないので、行く場所がホテルのラウンジだったり、会う人がはじめましての目上の方だったりすると、少し困ることになります。

そんな時がトップスの出番。

最初に目に入る顔とセットになっているので、ジャケットを着たり、フリルのブラウスを着たりすることで、きちんとした人というイメージを印象付けられるはず。

他にも、クールな人、可愛らしい人、エレガントな人、話しやすそうな人、個性的な人……などなど、トップスでだいぶイメージを変えることができます。

まずは朝起きて、靴を選んだら、今日はどんな自分になりたいかを考えてみる。

ほんの1～2分でいいから、どこに行くか、誰に会うか、手帳とにらめあいっこをしてみてください。

もしなりたい自分の姿が思い浮かばなくても大丈夫。

これから会う人にどんなイメージを持たれたいかを考えながら服を着るのも面白いかもしれませんよ。


ちなみに今日の私はフリルのブラウス。ちょっと可愛いらしく見られたいから。

だけど、この〝私らしくない〟アイテムを黒のスキニーデニムに合わせて〝私らしさ〟へ持っていく。

この過程がスタイリングの楽しいところ。

天職だわ、スタイリスト。

ジョンスメドレーのネイビーニット

ネイビーで自然体に、そして色っぽく

いつか何かの雑誌で見て、どうしても忘れられないコーディネートがあります。ネイビーのVネックのニットにインディゴのスリムなデニム、無造作なヘアに真っ赤なリップ。パリジェンヌの企画でした。なんてことないシンプルなコーディネートですが、かえって印象に残っています。着ていたのはモデルさんか女優さんか、もしかしたら普通の人だったのかも。だけど彼女が持っている雰囲気を最大限に魅力的に見せるコーディネートだったからこそ、こんなにも忘れられないのでしょうね。

ネイビーという色を思い浮かべると、トラッドなイメージがあります。紺ブレやケーブルニット、ブラックウォッチのタータンチェックやハイソックスなど、クラシカルで品のあるアメリカントラッドやブリティッシュトラッドに欠かせない色。学生の制服にもよく使われる色だし、式典の服にもよく用いられることが多く、どこかお行儀のいい雰囲気があります。

だけどその写真に写る女性はそんな雰囲気とは反対の、飾らず自然体で、とても色っぽく見えたんです。

Nº 01

BRAND JOHN SMEDLEY

ITEM Vネックニット

COLOUR navy

人を惹きつける色香

真面目代表カラーのネイビーが色っぽく感じるなんて。

〝色気〟

そう言うと、なぜか私達日本人はちょっと抵抗がありますよね。

私達のファッションは、他のどの国とも少し違う価値観を持っている気がします。

上品であることやきちんとしていることがいいというマインドが根底にあって〝色気〟はそこから真逆にある遠いものと感じてしまう。

むしろ恥ずかしいもののように感じたりすることがあります。

でも私はこの〝色気〟が大好きです。

それは肌の露出が多い服を着るとかの〝お色気〟ではなくて、人が醸し出す匂いのようなもの。見た目というよりは仕草にあらわれるようなもの。

色香とも言いますね。

異性だけでなく同性も、人を惹きつける魅力のことです。

今、この年齢になってより色気のある人に惹かれます。

最近はファッションやライフスタイルについて考える時、清潔感と同じくらい大切にしたいと思っている部分です。

色気のある人になりたいなぁ。どうしたらなれるのだろう。

まずは彼女の真似をしてネイビーのニットを新調してみようか。

ずっと真面目にしか着ていなかったジョンスメドレーのネイビーのVネックニット。

ベーシックなジャストサイズも好きですが、もっともっとデイリーに着たくて、少しオーバーなサイズを買い足しました。

急いで彼女みたいにナチュラルでカジュアル、だけど色っぽくなりたかったけど、だからってそのニットはなんでもいいワケじゃない。

これからもっともっと似合っていくはずだから、丈夫で、美しく、ベーシックで……何より本物じゃなきゃ！

今は、このジョンスメドレーの2枚を合わせるボトムによって着分けています。

そしてよくするコーディネートはもちろんインディゴのデニム！

ちゃんと色気が出ているかはわかりませんが、「何でもないのに、何か気になる」。

ファッションも、人間としても、そんな風になれたらいいなぁと思っています。

まだまだ修行が足りないな（笑）。

オーラリーのリブニット

フェミニンなアイテムでコーディネートを上品に

「そのニット、好きだよね〜！」と、からかわれたりするほど。

きっとよく着ているんだと思います（笑）。

自分でも自覚ありのヘビーローテーションアイテム。

真夏以外は着ているし、たくさんカラバリを持っているので、そりゃよく着ているトップスとして人々に記憶されることでしょう。

だって大好きなんだもの。


昔からタイトなトップスが好きでした。

カジュアルの中にも可愛らしさがあって、デニムやミリタリーパンツを合わせてもどこか上品に見せてくれる。

むしろこのタイトさでカジュアルボトムを中和しているんです。

少年のようにならないように。

だからこのアイテムは私にとってカジュアルではなくてフェミニンなアイテム。

今はこのニットさえ着ていたら自分らしいとすら思えるほど仲良しです。

Nº 02

BRAND	AURALEE
ITEM	リブニット
COLOUR	beige

オーラリーのこだわりを感じるタフなリブニット

そしてこのリブニット、タイトなだけじゃなく〝タフ〟でもあります。

この手のニットは洗濯にも気を使い、干し方や畳み方にまで神経を尖らせていないと長く着ることはできないタイプのものが多いのですが、もうなんだろう、これTシャツなのかな？ と思えるほどタフです。

もちろんネットに入れて、おしゃれ着洗いモードにしていますが、大抵はワンシーズン着れば色が白っぽくなってくるし、リブの伸縮がなくなってきてフィットしなくなったりしますが、はて？ 私はこのリブニットをいったい何年着ているんだろうか。

ハイゲージニットをこれだけ長く着られるアイテムに仕上げるには素材が上質でなければ叶いません。

そこにオーラリーの並々ならぬこだわりを感じるし、こういうシンプルなアイテムが名品になる場合、私以外のたくさんの人もこのアイテムを間違いないって思っているんだと感じます。

「これ、いいよ～」。口から口へと伝えられてきた本当の話。

信頼している人の口コミほど、確実なものはありませんよ！

まだまだ欲しい、オーラリーのリブニット。一体何枚コレクションしたら心は満たされるのか（笑）強欲だわ。たくさん洗ってもクタクタにならないということを知っているので、シーズンに一枚買い足しても賢い買い物だと思っています。ボリュームパンツが主流になっている今、ピッタリニットは最高に相性がいいんだもの。

メゾン・マルジェラのニットカーディガン

着るだけでわたしたちを幸せにしてくれる⁉

この世にカーディガンを作っているブランドはたくさんありますが、こんなにもさりげなく、でもわかりやすく主張しているブランドを他に知りません。

なんて勇気をくれる4つの白いステッチなんだろう。

ブランドやデザインナーの名前ではなく服に目を向けて欲しい、という思いからこのステッチが生まれたそうですが、今ではバッチリとアイコニックな印となっています。

デザイナーの意図とは違うかもしれませんが、私達がこのステッチから自信をもらっていることは間違いないわけで。マルジェラの服を着て幸せになる人がいるってことは、ブランドとしては一番の成功じゃないでしょうか。

着るだけで人を幸せにできる服、それって本当にすごいことです。

そしてちゃんと服にも目を向けていますよ。

だって名品というものはいつだってちゃんと便利なものです。

素敵なだけじゃなくて実用的なものが多い気がしませんか？

№03

BRAND	Maison Margiela
ITEM	カーディガン
COLOUR	black

あらゆるシーンやスタイルに寄り添うカーディガン

ちゃんと歩ける靴、荷物が入るバッグ、そしてコーディネートしやすいカーディガン！たくさんの人を魅了するということは、たくさんの人のライフスタイルに寄り添うことができているということ。

リアルを考えてデザインされているということじゃないかしら。

まさにこのカーディガンもそんな一枚だと思います。コットンやウールと素材はいろいろありますが、そのどれも肌触りが良く、着ていて気持ちがいいです。

そしてわかりやすいデザインより、わかりにくいデザインの方が難しいということを最近知りました。

きっとこのデザインが華美なものや大胆なものだったら、コレクションはしてないだろうなぁ。

エイジレスでジェンダーレス、このシンプルな前開きのニットは、今後私のクローゼットからいなくなることはないでしょう。

正直何枚、何色あったっていい！欲しい！

旅には必ず持っていく黒いカーディガン。
長い時間を一緒に過ごすから、せっかくならお気に入りのものを。
たくさん着すぎて色が褪せてしまったので、
京都紋付で真っ黒に染め直してもらいました。
トレードマークの4つの白糸も真っ黒に染まってしまうので、
それが大切な人は気をつけてくださいね（笑）。

ロエフのブルーシャツ

自分らしさと、なりたい自分

「ブルーのシャツを着ている人を見かけると麻琴ちゃんと間違えちゃう！」と、最近知人に言われて、実はとても嬉しかったんです。

この大好きなブルーのシャツが私のイメージということかぁ、きっと似合っていたんだなぁ、と前向きに捉えていますが、どうだろうか、あってるかな？（笑）

最近、自分らしいものって実は誰かに決めてもらったほうがいいのかも、と思ったりします。自分では見えない部分を客観的に見てもらって意見をもらう。

ファッションもそうですが、内面も自分が思っている自分と他者から見た自分は、たまに全然違っていたりしませんか？

「私って男っぽい性格だから」と言う、とても女っぽい人にたくさん出会いました（笑）。

それってきっとなりたいイメージですよね。だから目標にしたり、言葉にするのは、イメージに近づくために必要かもしれませんね。

どんどん表現していこう。

№ 04

BRAND LOEFF

ITEM コットン ブロード
レギュラーカラーシャツ

COLOUR cobalt

身近な人に〝私らしさ〟を教えてもらう

子供の頃、プリンセスみたいなドレスが欲しかったけど、ねだっても母は買ってくれず、祖母に頼んでこっそり買ってもらいました。そのドレスに身を包んだ写真の中の小さな私はまったく可愛くなく、何より本当に似合っていない。

母が好んで着せていたオーバーオールのデニムがやっぱりお似合いなんですよね。

そして他人から見たら、似合うものがその人らしいものと記憶に残るわけで。

そんなドレスの似合わない私、だけどドレスが大好きな私も大人になり、誰かが決めてくれる〝らしさ〟を心地良く受け入れられるようになりました。

むしろ、そうきたか！なんて、面白くもあります。

中には共感できないものもあるだろうけど、もしかしたらその中のひとつがこれから自分らしいアイテムに変わっていくことだってありえます。

まさにブルーのシャツがそう。だって私、もともとシャツが大好きだったわけじゃないし、ブルーが大好きだったわけじゃないんです。

実は似合うものがらしいものに変わっていくのを発見したのはスタイリストとして独立したばかりの頃。

雑誌の企画でシャツの特集を頼まれることが多くて、どうやら仲間達から私はシャツが好きなスタイリストだと思われていたようです。

そんなに持っていないのに、いったいどうして？

色々考えた後、きっと似合っていたんだ、という答えにたどり着いたんです。

そしてそこからシャツを意識するようになったんです。

「あいつ、お前のこと好きらしいよ。」

「え？ 私は興味ないし…いや、ちょっとはあるかも……っていうか好きかも!?」

どうでもいいのですが、それとても似ています（笑）。

意識し始めたら最後、本当に好きになって、三本の指に入るマイベーシックアイテムにまでのぼりつめました。

ロエフのブルーシャツは、削ぎ落とされたシンプルなデザインとキリッと潔いブルーの色味、ゆったりしたサイズ感もここ数年で一番のお気に入りです。

マニッシュなアイテムの中に香る色気は、私のファッションの指針です。

誰かが見つけてくれた私らしいもの。もうすでに〝らしい〟アイテムを見つけている方も、そうじゃない方も、一度身近な誰かに是非聞いてみてください。

「私らしいものって何かな？」意外なアイテムが出てきて面白いかもしれませんよ。

ジルサンダーの
パックTシャツ

素敵なTシャツを探し求めて

年々、シンプルなものをどう着たらいいかわからなくなっています。

その代表がTシャツ。

いつもよりアクセサリーを重ね付けしたり、赤リップをしたり、工夫できることはたくさんありますが、そもそもTシャツ一枚に自信が持てなくなってきているんだと思います。特に「白」。

弾けるような肌も、キラキラの髪もないので、合わせるアイテムによっては部屋着に間違えられないかドキドキしたりして。

友人の中には、ただの白いTシャツなんてもう怖くて着られないという人も。

「何でもいいから何かデザインをください！せめてポケットだけでも！」

確かそんなことを言っていたなぁ。わかりすぎるほどわかるよ、その気持ちが。

だけど私はシンプルなコーディネートが好きなので、デザインTシャツはちょっとトゥーマッチだし、あれこれレイヤードしたくないし、ベーシックなアイテムなんだから、世界のどこかには大人が一枚で着られる素敵なTシャツがあるはず！と、探し続けていたところ、数年前ジルサンダーのパックTシャツに出会いました。

No 05

BRAND	JIL SANDER +
ITEM	JIL SANDER + 3パックTシャツ
COLOUR	white

ノーアイロンで着られるパックT

パックTというと、お手頃なお値段の毎日じゃんじゃん着られるコスパがいいタイプのものをイメージしますが、こちらはそれなりのお値段となっております（笑）。

同じくじゃんじゃん着られますが、インにするにはもったいない！と思えるほどデザインされたTシャツです。

見た目は普通の白Tですが、しっかりしたコットン、少しつまった襟ぐり、絶妙な丈と袖の太さ、背中のステッチ……。

これは着た者のみが感じられる幸せかもしれません。

そして私が何より気に入っているのは、ノーアイロンで着られるところ！

大人の名品Tはたくさんありますが、アイロン無しで着られるものが少ないんです。

そしてせっかくの名品TもシワシワのままTていたなら感動は少ないでしょう。

だから今はこのノーアイロンで着られる名品がちょうどいい。

3枚入りの真っ白なパックTを洗濯しながらローテーションで着る。

こんなに気に入って毎日着ているなら、それなりのお値段でもコスパ良し。

今年は黒を買い足そうかな。

シンプルな白Tを潔くシンプルに着る。憧れているスタイルです。今までは自信がなかったり、人の目が気になったりして、あれこれコーディネートを工夫していましたが、今は思い切れるようになりました。
パールをしたり、黒小物でしめたりと工夫をしながらシンプルカジュアルを楽しんでいます。

TOPS: JIL SANDER
BOTTOMS: LOEFF
BELT: J&M DAVIDSON
NECKLACE: handmade
BAG: JIL SANDER
SHOES: Maison Margiela

プチバトーのカットソー

フレンチシックへの目覚めはプチバトーから

学生の頃から着ているカットソーです。半袖、長袖、ベーシックカラーからボーダーまで、本当に長い間お世話になっています。

アニエスベーというブランドに出会い、フレンチシックというスタイルを知り、そこからいわゆるアメカジじゃないカジュアルにのめり込んでいきました。

今思うとこのプチバトーにハマったのが大きかったと思います。

学生の私にも手が出せるお手頃なお値段で、アルバイトをしてお金を貯めては買い足していました。

カラフルなラインナップは目にも楽しく、当時のボックスのパッケージはなんだかギフトのようで、セレクトショップで見かける度にワクワクしたものです。

このカットソーの特徴は第二の肌と呼ばれるほどの柔らかな肌触り。

そしてそれまで体験したことのないフィット感。

初めて試着した時は衝撃が走りました。

いつもボーイッシュになるはずの〝Tシャツ〟というアイテムが、こんなに可愛らしくなるなんて！

№ 06

BRAND PETIT BATEAU

ITEM クルーネック半袖Tシャツ

COLOUR white,black,border

特別なカットソーが、いつものカットソーに

だってそれまでTシャツと言ったら、ボーイッシュで当たり前、デニムに合わせるのが普通だったから、スカートに合わせてフェミニンに着られるプチバトーのTシャツに惚れ込んでしまったんですねぇ。

こんなに可愛いTシャツがこの世にあったのか……。

フランスってすごい！ 子供だった私はそんな風に思ったのでした。

その後、大人になってフランスに留学するわけですが、やっぱり縁を感じずにはいられないブランドのひとつです。

定番の半袖のカラバリからストイックな細かいピッチのボーダー、冬はニットやカーディガンの下に長袖やタートルを合わせる着方が気に入って着ています。

あまりにも毎日のように着ていたので、いつの間にか特別なカットソーは、いつものカットソーに。

どの時代もクローゼットにはプチバトーのカットソーがいましたが、再熱したのは子供が生まれてからです。

出産後も年に数回は、仕事やプライベートでフランスを訪れていました。その時に現地

のスーパー、モノプリで子供服を買うことが多かったのですが、なかなか行く機会も減ってしまった頃、ふと思い出したんです。

「プチバトーがあるじゃないか！」

フレンチシックが叶うブランドが日本で手に入ることを思い出したのです。

それに気づいてからは前にも増して虜になりました。

昔は自分が試着して感動したけど、今は子供服としても感動しています。

だって柔らかな素材感と、シックなカラーリング、タイトなシルエットは相変わらずフレンチブランドらしくて、着ている子供だけじゃなくて、着せている親も大満足。

そして子供に着せながら、やっぱり自分も欲しくなっちゃう。

今はオーガニックコットンになり、環境に配慮するためボックスのパッケージではなくなってしまいましたが、そんなところも大好き。

あの頃、私にエスプリを教えてくれたブランドを今は私の子供が愛用しているなんて……感慨深いです。定番アイテムは素材も色も同じだから、さりげなくお揃いにできるのも嬉しいところ。

お揃いで着てくれるのもきっとあと少し。

それまではまだまだ親子ファンとしてプチバトーを追いかけていきます。

セントジェームスのボーダー

みんなに愛されてきた、永遠の定番

ブルーのシャツと同じくらい、自分らしいと思えるアイテムです。

たとえモテない服ナンバーワンでも!? 私はボーダーが大好きです（笑）。

そもそも色や柄が得意じゃないので、私のクローゼットは色味なく寂しい配色です。

もちろん着やすいものだけ、心地良いものだけを集めた結果がこれなのでそれこそ自分らしいと思えますが、たまにアクセントが欲しいのも事実。

そして大人になった今、そのアクセントは実用的じゃなきゃ。

一回しか着ないとか、これにしか合わないとか、そんなものはこれからマイ定番になることはないでしょう。

ただアクセントになるアイテムは色とか柄とか存在感の強いアイテムが多いのよねぇ。

しかしボーダーは違いますよ！

これは今季だけのトレンドなんかじゃなくて、もはや永遠のアイテム。

私だって何十年も着続けているし、昔のセレブリティ達の写真を見ても、今と何ら変わらないボーダーのカットソーを着ているもの。

Nº 07

BRAND	SAINT JAMES
ITEM	ウェッソン
COLOUR	blue×white

知れば知るほど好きになる、何枚でも欲しいアイテム

ボーダーは横縞という特徴的な柄ながら、主張しすぎない控えめで謙虚な柄。時にはコーディネートのメインアイテムにもなるし、それでいて何かの引き立て役にもなれる……。人に例えたら絶対いいやつ！（笑）。

そしてボーダーというとやっぱりセントジェームスが浮かぶんです。これもプチバトーと同じく長い付き合いになりますが、スタイリストになって仕事でお世話になる機会が増えて、はじめて種類があることを知りました。アイコニックである厚手のウェッソンから、やや薄手でパネルボーダーのナヴァル。ライトな素材感のモーレなどなど、素材も柄もひとつじゃなかったんです。奥深いよ、セントジェームスさん。

最近は着心地がラクなので私はモーレを着ることが多いのですが、ウェッソンも体に馴染んでくると柔らかく、とても気持ち良く着られます。

そしてスキニーデニムの時はサイズ4、ボリュームボトムには1、など、トレンドのボトムのシルエットによってサイズの違いを楽しむのもおすすめです。ね、何枚あったっていいでしょう？

私といえばボーダーだそうです（笑）。よく皆さんにそう言って頂くのですが、そんなに着てますかねぇ？大好きなので嬉しいのですが。ジーンセバーグやブリジットバルドー、ジェーン・バーキンやピカソまで。大好きなフレンチアイコン達のお気に入りの柄。着るだけでどこかエスプリが漂っちゃう。何歳になっても、ボーダーが似合う人でいたいなぁ。

TOPS: SAINT JAMES
BOTTOMS: RED CARD
BELT: THE SHINZONE
SUNGLASSES: ANNE&VALENTIN
BAG: eb.a.gos
SHOES: BEAUTY&YOUTH

アニエスベーの
カーディガンプレッション

夢のような出会いと一生の宝物

アニエスベーのアイコニックなアイテムはたくさんあるので、きっと人それぞれ違うのかなぁと思いますが、私が一番持っているのはカーディガンプレッションでした。

その他、ボーダーやボートネックのカットソーも愛用していますが、このカーディガンプレッションにはとても幸せな思い出があります。

パリが好きだ！　アニエスベーが好きだ！　とあちこちで話していたら、雑誌の企画でアニエスベーご本人に取材させて頂けることになりました。

言霊というのは本当にあるのかも。

みなさんにその取材が決まった時の私を見せたいくらい。

金メダルをとった選手くらいのガッツポーズをしていたはず（笑）。

そのくらい夢のまた夢みたいなことだと思っていたから。

まさかアニエスベーさんに本当に会えるだなんて！

そこで彼女から聞いたお話は、私の一生の宝物になりました。

その中のひとつにカーディガンプレッションの話があります。

それはメインの取材内容ではなく余談だったのですが、とても心が暖かくなりました。

№ 08

BRAND	agnes b
ITEM	カーディガンプレッション
COLOUR	black,white

誰かのために、明日着られる服を

彼女のアトリエにはアシスタントさんが何名かいたのですが、その中にいらっしゃった大柄な女性が着ていた大きな大きななカーディガンプレッション。聞くとその彼女は、アニエスベーさんの身の回りのお世話をする方でした。昔はお子さんのお世話もされていたそうな。

「このカーディガンプレッションは世界にひとつしかないスペシャルなサイズで彼女のために作ったのよ。彼女は大切な家族だから！」と、アニエスベーさん。大きなカーディガンを着たマダムが、とても嬉しそうに笑っていたのが印象的でした。

バリバリのキャリアウーマンでありながら、家族や周りの人を大事にする暖かい人柄で、今も誰かのために服を作り続けている。

夢みたいな服じゃなくて、明日着られる服を。

好きでよかった……。

それまで裏毛の白と黒を愛用していましたが、その後気が大きくなっていた私は、前から気になっていたレザーのカーディガンプレッションをすぐ買いに行きました。

単純ね（笑）。

カーディガンプレッションは思い出がいっぱいです。
アニエスベーを好きになったきっかけの服でもあるし、
ご本人にインタビューをした時も話題になったアイテム。
今は白、黒、カットソー素材、レザーを持っていますが、
いつかカラーにも挑戦したいなぁ。
シルバーヘアになった方が似合うかしら。

思い出が背中を押してくれる
愛しのジュエリーたち

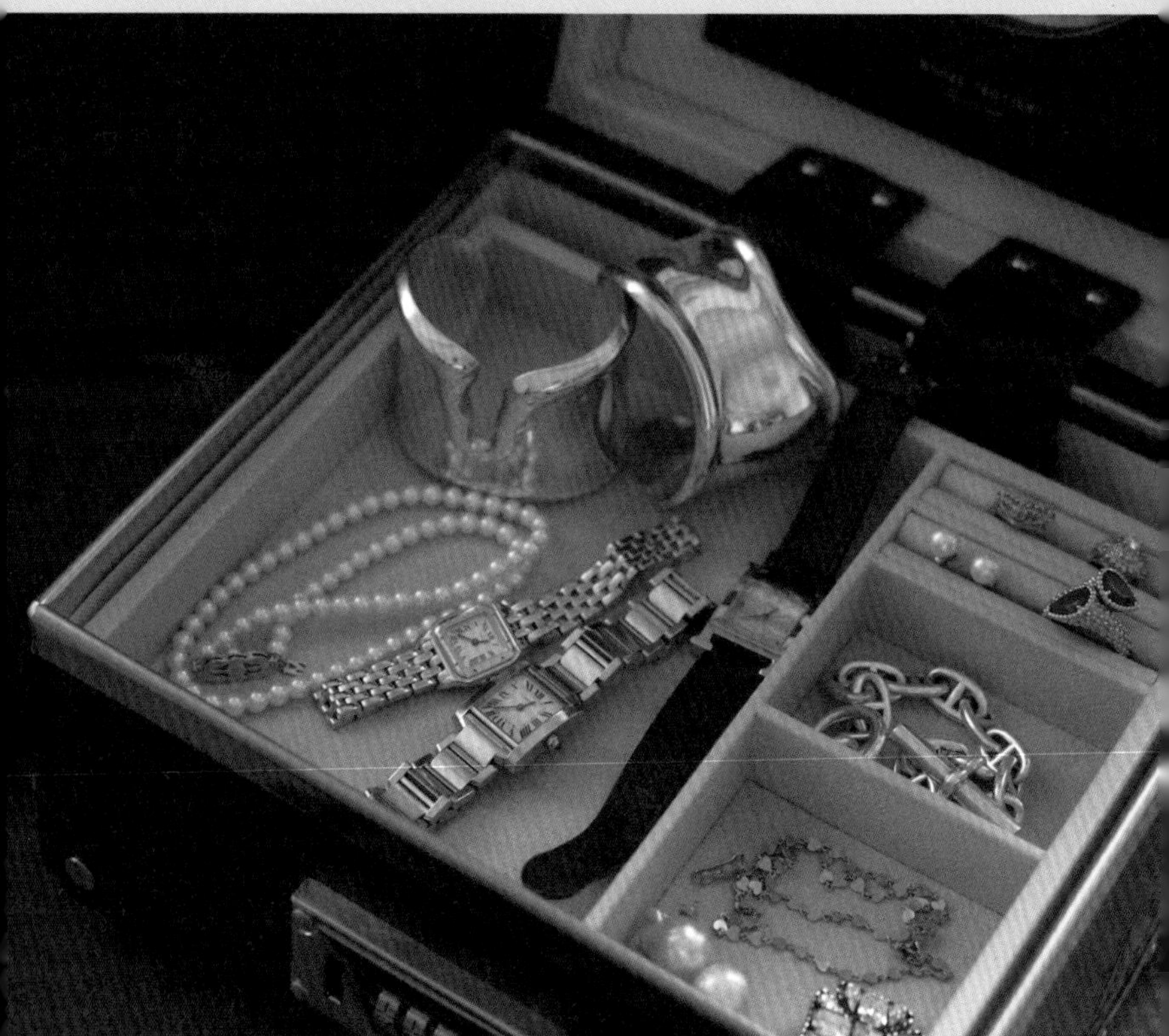

物心ついてから今に至るまで、少しずつ集めてきた宝物達。

ここにある全ての時計やジュエリーにまつわるエピソードを今も鮮明に思い出すことができます。

そのくらいひとつひとつ真剣に向き合って選択してきました。

それぞれにまつわる物語は、スーパーハッピーだったり、ドジで笑えたり、なかにはセンチメンタルなものも。

こうして写真を眺めているだけで、その感情全部が愛おしくて、微笑ましくて。

私にとって時計やジュエリーたちは生きてきた証。

なんて言うと大げさですが、歩んできた人生は物語っているのではないでしょうか。

今はその日の気分やコーディネートに合わせてつけています。

ジュエリーも時計も思い出が必要。

きっとどんな思い出もいつかは愛おしく思えるはずだから、もしこれから何か一生物を手に入れたいと思っている方は、何かの記念日を作ることをオススメします。

誕生日でも、とっても幸せだった日でも、悲しかった日でもいい。

思い出の品を身につけることで、その時の風景や人や匂いを思い出して、よし、また頑張ろう！ そんな風に思えたら、きっと一生付き合っていけるものになることでしょう。

そしてそんなものはトレンドのアイテムではなくて、何歳になったって古くならない、ベーシックなものなんじゃないかな。

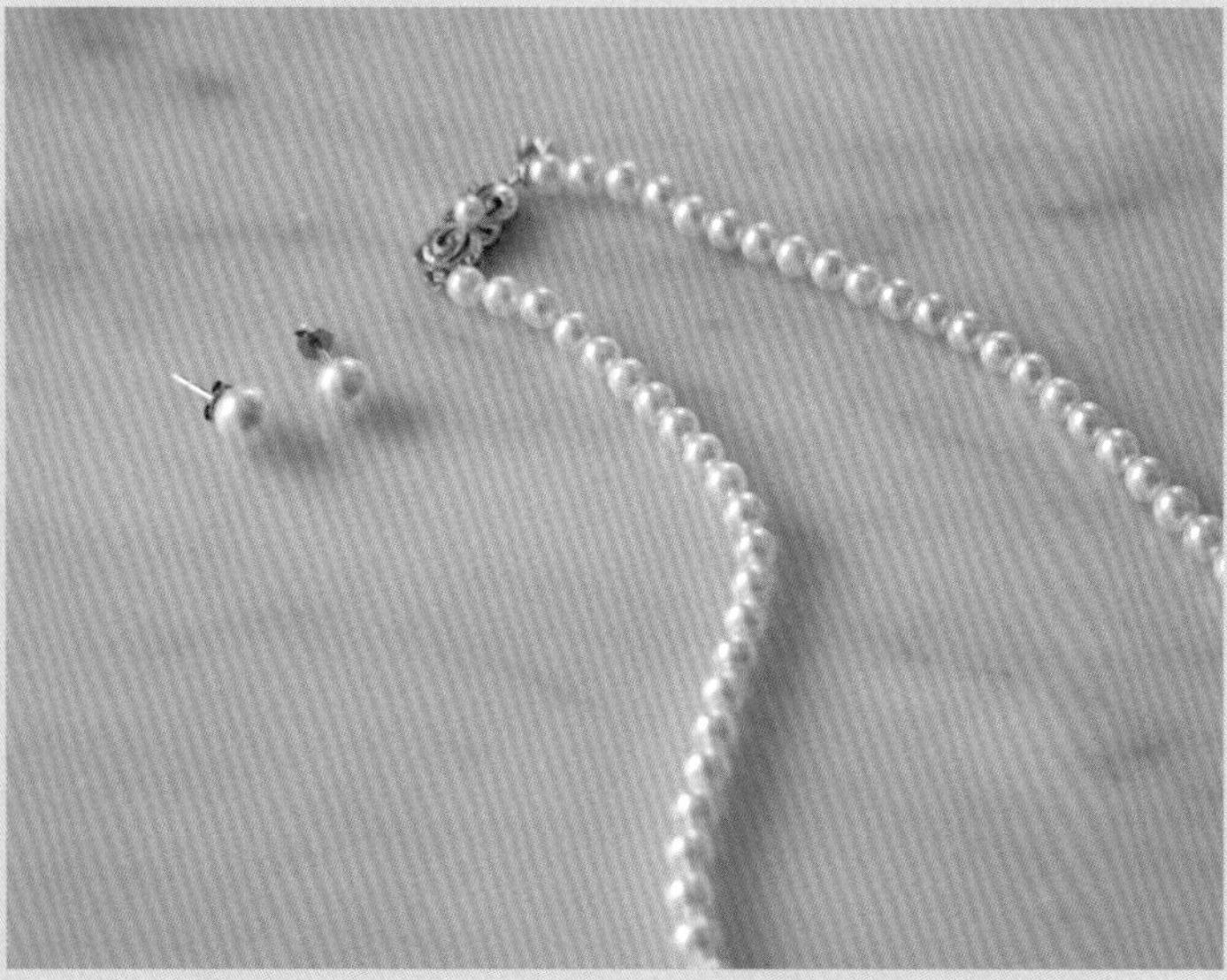

ミキモトのパール

20歳のお祝いで両親にピアスをもらったのがきっかけで、30歳、40歳……と買い足してきたミキモトのパール。節目が来るたびにやっぱりミキモトを思い出してしまうんです。その時どんなものを自分が選ぶのかも楽しみのひとつ。50歳の記念は……そろそろブラックパールなんてどうだろう。似合うかなぁ。

カルティエのトリニティリング

薬指ではありませんが、これが私の結婚指輪でしょうか。

これにまつわる夫との笑い話もあるのですが、いまだに大好きなカルティエのトリニティ。ジャンコクトーにまつわるエピソードも好きになったきっかけです。四六時中ずっとはずさないし、これなしではもう自分じゃないみたい。本当に家族のような存在の指輪です。

一生外さないつもり。今のところね（笑）。

ティファニーの
ボーンカフ

この存在感たら。まるでオブジェのよう。

シルバーのボリュームバングルですが、腕につけるとまるでしてないかのようにフィットするので毎回つけるたびに驚きます。エルサペレッティのデザインはただ素敵なんじゃなくて、ちゃんと快適なんです。ボーンカフは、その存在感からか、気持ちがオンになれるジュエリーです。

ブシュロンのリング

心が少し不安定だった時に出会ったブシュロンのリング、トワエモア。自分にもそんなことがあるものかと不思議でしたが、たまにはちゃんと心と向き合わないとね。マラカイトは浄化力やヒーリング効果があるそうでそれを知ってからはこのリングをお守りのようにつけています。自分ではらしくないと思っていましたが、このリングで私を思い出して下さる方もいて、どうやら似合っているのかなぁ。だったら嬉しいなぁ。

フォーエバーマークの
ダイヤモンドピアス

カジュアルなコーディネートが多くなってきて、ダイアモンドの一粒ピアスはなくてはならないものになりました。さりげないのに存在感があって、どんな服にもしっくりくるし、Tシャツにデニムでもこのダイアモンドがあれば自信を持てる。

最近のお気に入りはフォーエバーマークのTwoD。揺れるチェーンのダイヤモンドも付けられるのでアレンジが楽しいんです。

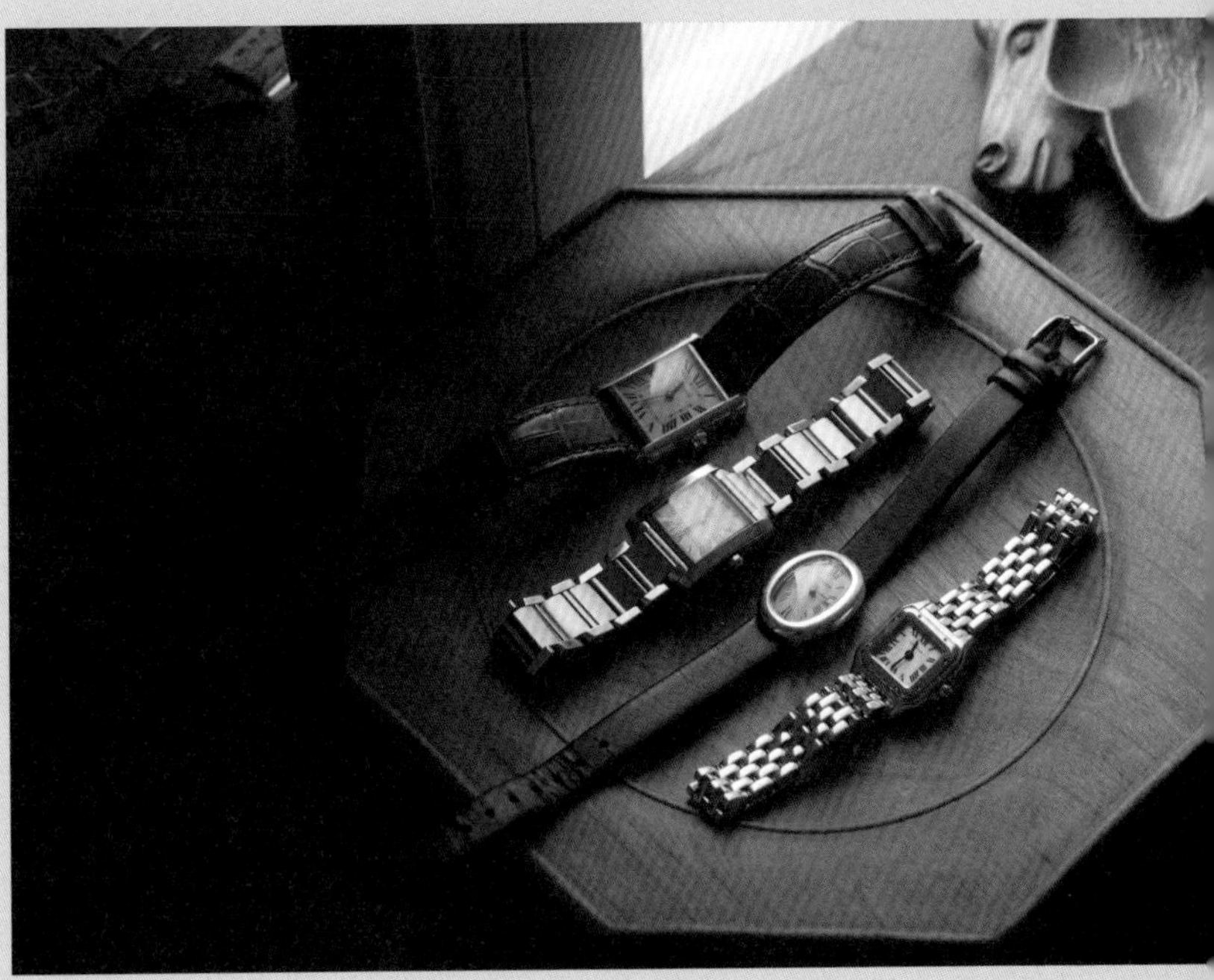

カルティエの時計たち

一番奥がマイファーストカルティエ、タンクルイカルティエです。20代の私は今よりもっとフェミニンでした。それから今一番よくつけているタンクフランセーズ、ヴィンテージのミニベニュワール、新入りのミニパンテール。私はカルティエの時計と共に人生を生きてきたようです。しかしだんだんと小ぶりなってきてるなぁ（笑）。これ以上小さいの、あるかしら？

CHAPTER

2.

Bottoms

ボトムスひとつで、ラクにトレンドを取り入れる

ここ最近、私の中で一番変化があったのがボトムスのシルエットです。

もしかしたら180度!? そのくらい大きな変化でした。

今までありえなかったものが定番に、日常になるなんて。

だからいくつになってもファッションって面白い!

それまでの私はオーバーサイズのトップスに細みのパンツが定番のシルエットでした。

お尻が隠れる丈のジャケットやシャツやニットに、スキニーデニムや細みのテーパードパンツなど、ゆる×ぴたのバランスがとても気に入っていました。

それが自分の体型をスタイルアップさせてくれるバランスだと知っていたからです。

だから、この先もずーっとこのバランスしか考えられないと思っていたんです。それが一本の太いパンツに出会って、いともあっさりと新しいバランスを受け入れるなんて。

私の意思よ、こだわりよ……。

いいんです。

ミーハーじゃなきゃこのシルエットに出会えていなかったんだから。

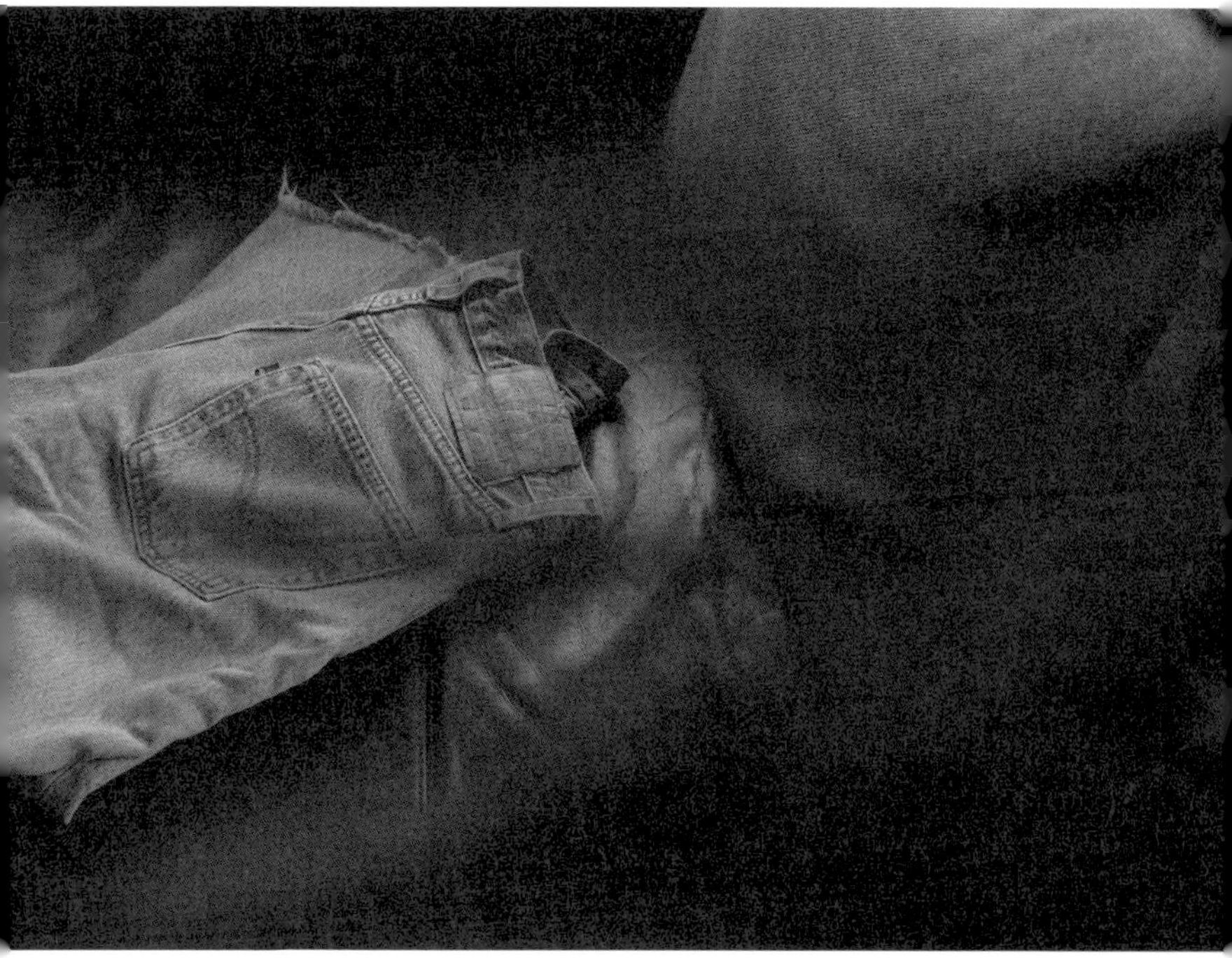

似合うものも、ときめくものも、なんとなくわかってきた今、だからこそあえて挑戦してみる。

新しいものを一旦受け入れてみる。

そんな冒険心が今の自分にとても大切だと思っています。

〝イマドキ〟を手に入れたいと思ったら、まずはボトムス。

ボトムスのシルエットはちょっと目を離したすきにとんでもなく変化しています。

スキニー？ ワイド？ フレア？ タイト？

ついていけない、とあきらめるのではなく、逆手にとって楽しんじゃいましょう。

だって、ボトムスのシルエットを新調すれば、手持ちのTシャツもニットもイマドキに見えるんだから簡単でしょう？

トレンドを手に入れたいと思ったら、あれこれ流行りのものを買うんじゃなくて、今はボトムスさえ新調すれば大丈夫。

私はむしろ新しく挑戦しているこのボトムスのシルエットのおかげで、コーディネートをラクしています。

ラクしてイマドキ、最高じゃないの。

スタジオニコルソンのワイドパンツ

たまの冒険が一生物の出会いに

自分には縁のないシルエットだと思っていました。

そんなワイドパンツがまさかクローゼットのほとんどを占めることになろうとは。

トレンドはわからないものだし、こうなると自分の好みすらわからない。

あんなにスキニーが好きだったのに。

だからなんでも毛嫌いせずにとりあえず挑戦してみることが大事ですね。

大人になると確かに冒険できなくなる。

服でも、服じゃなくても。

だからずっと同じものを着がちだけど、たまに挑戦してみるアイテムが一生物になったりもするので、ファッションって不思議。


自分のベーシックなアイテムとトレンドのアイテム、昔に比べたらトレンドの割合はだいぶ減ったけど、それでいい。それが心地良い。

その心地良いと思えるバランスを探すことが重要です。

№ 01

BRAND	STUDIO NICHOLSON
ITEM	ワイドパンツ
COLOUR	beige

どんなコーディネートも今っぽくしてくれる、絶妙なシルエット

私は長い間、オーバーサイズのトップスにスキニーボトムというバランスが好きでした。

もっと若い頃はコンパクトなカットソーやシャツを着ていた時期もあるけど、30代のほとんどは、ゆる×ピタのシルエット。

それが一番スタイル良く見える気がしていたし、ざっくりとしたオーバーサイズのトップスが自分らしいと思っていました。

そして40代に入って間もなく、トレンドはオーバーサイズのボトムになりました。

ハイウエストのタック入りだったり、カーヴィなバルーンパンツだったり……。

まるで男の子みたいなダボっとしたパンツがこんなにも市民権を獲るなんて誰も予想していなかったはず。

私もその中のひとり。

それがこのパンツに出会って一変。

スタジオニコルソンのパンツを履き始めたら、このシルエットこそが自分らしいとすら思えてきた！

今まではなんだったんだろう……（笑）。

そしてこのシルエットがちゃんとある太パンツ、スタイルアップはしないけど、その代わり何を合わせても今っぽいんです。

ポケットすらないシンプルなTシャツも、ただのクルーネックのニットも、このパンツを合わせれば今年らしいコーディネートに！

あぁ、ラクチン。

それに気づいてしまってからはもう太パンツに夢中。

クローゼットのほとんどがこのシルエットになるほどに！

そう考えると私、本当にコーディネートでラクしたいんですねぇ（笑）。

ドリス・ヴァン・ノッテンのプリントスカート

他にはない華やかさと力強さ

一枚は一目惚れして、そしてもう一枚はセールで。

これ、メゾンブランドのあるあるですねぇ。

どこのセレクトショップに行っても必ずチェックするブランドがありますが、ドリス・ヴァン・ノッテンもそのひとつです。

もちろんシーズンに一度は路面店にも行きます。

プリント以外にも白シャツやジャケット、パンツやブーツなどたくさん名品があるブランドですが、やっぱりドリスのプリントは他にはない華やかさと力強さがあります。

以前「ドリス・ヴァン・ノッテン　ファブリックと花を愛する男」というドキュメンタリーを観ましたが、ドリスの花柄が特別な理由がわかりました。愛がある。

だからこんなにも心に残るんですね。

いつも思うことですが、ドリスのプリントのアイテムを見るとまず最初に「こんな派手なものは着られない」と思うんです。

ビビッドな色の組み合わせ、大柄なフラワーモチーフ、とにかく主役にしかなり得ない大胆なアイテムが多くて圧倒されてしまいます。

№ 02

BRAND	DRIES VAN NOTEN
ITEM	スカート
COLOUR	yellow×purpule

コーディネートを無限に広げる〝派手な〟アイテム

一体手持ちの何と合わせたらいいのだろう。そこも悩ましかったりしてなかなか手が出せないのですが、勇気を出して試着してみると、私には無理だと思っていた派手なプリントが、なぜかさりげない感じすらするんです。

そこからコーディネートは無限に浮かびます。

白シャツで、黒のタートルで、同系色のカラーニットもいいかも、Gジャンやトレンチにも合いそうだし……。

決して自分だけが主張するんじゃなくて、ちゃんと合わせるアイテムも立ててくれる。そんな派手アイテム、私は他にまだ知りません。

そして、お店に行くと、白髪の素敵なマダムがいらしていることが多くて、これから長く愛せるブランドなんだなぁと改めて思います。

むしろその年代からこそそのブランドの魅力がより引き立つのではないかしら。

そう思うとここに投資する価値はありそうですね。

目指すべきはドリスのプリントをサラリと着こなせるような人！

いい目標が見つかりました。

大胆なプリントが華やかなドリスヴァンノッテンのスカートは
強い色の配色が特徴で、歩くたび揺れる素材感が美しい。
合わせるトップスによっては綺麗めにもカジュアルにもなるので重宝しています。
柄物が難しく感じるお年頃ですが、
そんな時は思い切って大柄に挑戦するのもあり。
ドリスならエレガントに見せてくれること間違いなし。信頼しています。

ステラ・マッカートニーのレザーパンツ

サスティナビリティを推奨した、先駆者たるブランド

昔々、古着のリアルレザーのスカートを履いていた時もありますが、大人になってから買ったのはステラ・マッカートニーのフェイクレザーパンツ。

リアルレザーからフェイクレザーへ。

経験もお金も、あの頃より豊かだからこそできる選択だと思っています。


このパンツが欲しかったと言うよりは、このブランドの理念を応援したくてこのパンツを買いました。

ステラ・マッカートニーは私が知る限り、ラグジュアリーブランドで初めてサスティナビリティを推奨したブランドです。

今となってはどのブランドも当たり前なっている取り組みですが、なんでも最初というのは勇気がいるものです。

もしかしたら失敗するかもしれないし、いいと分かっていても、みんなに共感されないかもしれない。

それでも声を上げたこのブランドを心底カッコイイと思うし、リスペクトしています。

№ 03

BRAND Stella McCartney

ITEM レザーパンツ

COLOUR black

レザーじゃなくてもファッションは楽しめる！

もしかしたらもっと先駆けていたブランドがあるかもしれませんが、私がサスティナビリティとファッションの関係が気になり始めたのは、このブランドがきっかけです。

あの感動、謎の安心感とやる気！

今でも忘れられません。


ファッションというものを追いかけていると、たまにものすごく虚しいと感じることがあります。

この仕事は誰のためにしているのか、誰かの役に立っているのか、考え出すとキリがなくて……。

医者のように誰かを救えるわけでもないし、教師のように誰かに教えることもできない。

せめて地球を犠牲にしませんように……そう願っていても、トレンドが軸となるこの業界は、常に新しいものが評価されます。

キラキラしている世界は矛盾だらけ。

そんなモヤモヤしていた10年前くらいにこのパンツに出会いました。

〝まるでレザー〟のこのパンツは、動物を犠牲にしなくてもファッションを楽しめるということを教えてくれました。

それって大発見！

この大発見はもう一度ファッションを好きなるきっかけになりました。

ファッションにできることはまだまだある！

まずは自分がこのフェイクレザーのパンツをたくさん履いて、素敵にコーディネートして、レザーじゃなくても大丈夫と身を持って証明しよう！

ファッションの新しい可能性を教えてくれたステラのために。

ラグジュアリーブランドらしからぬシンプルなストレートシルエットのパンツは何にでも合わせやすくて出番が多く、今年も変わらずお気に入りラックにいます。

ビリティス・ディセッタンのチュールスカート

幼い頃の好きの記憶

誰にでもある!? お姫様願望。笑っちゃいますがこんな私にだって今もあります。

一番願望が強かったのは幼稚園時代。

母はボーイッシュな服が好きだったようで、その頃の写真の私はいつもデニムのショートパンツやオーバーオール。

今となってはそのテイストに小さな頃から触れ合っていたおかげで、スタイリストになっても変わらずにデニムやチノが好きなのかもしれません。

ただ、プリンセス麻琴は納得がいっていなかったようで、母がいない隙に、おじいちゃん、おばあちゃんと出かけ、とんでもないドレスを買ってもらったりしていました。

それは私の一番幼い頃のおしゃれの記憶。

ボルドーのベルベットのロングドレスで、襟や袖には白いレースがあしらわれていました。もはやコスプレ。願望というのは抑圧されるとこんなにも歪んで返ってきてしまうということを学びました。

だけど、当時の私は本当に本当にそのドレスを気に入っていたんです。

そのドレスを着るたびに母が苦い顔をしていたことも一緒に思い出します（笑）。

№ 04

BRAND	Bilitis dix-sept ans
ITEM	スーパーロングチュールスカート
COLOUR	black

大人も、たまにはプリンセスに

そんな私も大人になり、今はプリンセスよりプリンスのコスプレの方が自分にしっくりくることを知っています。

一年の300日以上パンツを着ているし、クローゼットの中のほんとんどが黒やグレー。

好きなテイストにプリンセスの持ち物はことごとく合わず、長らく封印していたのですが、40歳を前にしてムクムクとあの頃の気持ちがよみがえってきました。

お姫様になりたい！ それってきっとホルモンバランスの崩れ（笑）。

だけど私は、ピンクやキラキラを簡単に受け入れられず、どうにか大人がプリンセスになれる服を探し始めたのです。

そしてビリティスのチュールスカートがそんな私の願いを叶えてくれました。

なれたのは真っ黒なお姫様。

そしてスニーカーを履いたお姫様。

デイリーに着ているわけではありませんが、またいつやってくるかわからないお姫様願望のためにも、このスカートにはまだまだ頑張ってもらわなくちゃ。

甘いスカートを履く時は、モノトーンにこだわっています。いつもと違うだけでちょっと居心地が悪いのに、着慣れてない色だとなおさら。だから大好きなモノトーンで、冒険具合を最小限に。大人だし、わざわざ冒険しなくても…わかっちゃいるけど、たまにこういう衝動が抑えられなくなるのよね。だから"らしく"楽しむことにしています。

TOPS: beautiful people
CUT SEW: HYKE
SKIRT: Bilitis dix-sept ans
SCARF: SAINT LAURENT
BAG: Nantucket Basket (handmade)
SHOES: NIKE

カレンソロジーの
ミリタリーパンツ

無骨なアイテムを大人の女性らしく

太い、はてしなく太い。こんなにも太いパンツには出会ったことがないくらい太い。

ミリタリーパンツは昔から大好きなアイテムでした。

正確に言うと、カーキ色のミリタリー風パンツかな。

ボーイッシュやマニッシュなテイストに漂う女らしさが好きなので、このミリタリーのテイストも同じく、メンズライクでカジュアルなこのカーキのパンツに何を合わせて女らしくしようか……それを考えている時間がとっても幸せです。

若い頃は古着や、本気のミリタリーショップなどでこのパンツを探していましたが、いつの日からかしっくりこなくなってしまいました。

そもそもこのタフで無骨なユーティリティパンツは、やんちゃが似合うティーンエイジャーならまだしも、大人の女性が着るにはそれなりに工夫が必要です。

やんちゃ軸が伸びれば伸びるほど、真逆のエレガント軸も伸ばさないとバランスが取れない。例えばパールのピアスとか、大ぶりのゴールドネックレスとか、低くてもいいからヒールやポインテッドのパンプスとかスカーフ、赤リップ……このパンツを履く時は、いつもより何かしら盛ることにしています。

№ 05

BRAND	Curensology(&RC)
ITEM	コットンネップパンツ
COLOUR	khaki

やんちゃとエレガンスの絶妙なバランス

そんな風に工夫を重ねながら、好きな服を着続けてきたわけですが、よく考えたらもっと簡単な方法がありました。なぜ気がつかなかったのよ、私め。

最初からやんちゃとエレガントのバランスがとれているものを手に入れればいいだけじゃないか。

今はメンズだけじゃなく、レディースファッションにおいても定番になりつつあるので、たくさんのブランドがこのテイストのパンツを出しています。

私達のような年齢層にファンが多いブランドは、必然とキレイに見える素材、シルエットを提案してくれます。

あえて古着を着るのももちろんかっこいいので憧れますが、キレイ目ミリタリーパンツは一本あると便利です。

コーディネートをあれこれ考えなくていいもの。

だって元々キレイに見えるからTシャツ合わせだって心配なし！

10年後の自分が履いている姿がすんなりと想像できるのと、10年後の自分の方がなんなら似合っていそうだなぁと思えるパンツです。

メンズライク、カジュアル、ミリタリー、マニッシュというキーワードがぴったりなパンツ。しかもたっぷりとしたシルエット。そんパンツに合うコーディネートを考えるのは楽しいけど、きっと白シャツなら間違いない。潔くワンツーコーデに黒小物。ミニマムでクール。余計なことはしなくていいのが、歳を重ねてよかったと思えるところのひとつ。

TOPS: LOEFF
BOTTOMS: Curensology(&RC)
BAG: Hermès
SHOES: LEMAIRE

アルディノアールの黒ワンピース

どんな顔にも変身できる真っ黒なワンピース

このワンピースを買ったのは子供の保育園の卒園式の前。はりきって着物をあつらえたのですが、当日は大雨予報。ついてない……。

ということは、淡いグレーの着物は着られないので何か急いで用意しなきゃ！と、私の心は焦りながらも踊っていました。

残念だったはずの雨予報すらお買い物にすり替えて楽しむという、どこまでも楽天的な私の心よ。この前向きさ、才能だとすら思えます。

そこで見つけたのがアルディノアールの黒いワンピース。

いくらマキシ丈とはいっても、大体はみんなが着やすいロング丈になっているものです。が、このマキシワンピース、本当に驚くほどマキシ丈。

やるな、アルディノアール。

何も装飾のない長袖の真っ黒なワンピース。

付いているのは共布の細いベルトだけ。

合わせるもの次第でどんな顔にも変身できる真っ黒なキャンバスのよう。

№ 06

BRAND	HARDY NOIR
ITEM	ワンピース
COLOUR	black

このワンピースは私たちの成長とともに

迎えた卒園式、私は一粒パールのピアスと同じく真っ黒のショートブーツでどこまでもミニマルに潔くきめたつもりでした。

まぁ、思い返すともっとボリュームのネックレスやピアス、大きなコサージュをしたってよかったかなぁなんて。

キラキラのママ達の中に魔女がひとり、そんな写真に苦笑ぃ。

それからこのワンピースはアニバーサリーワンピースとなりました。

七五三の写真もこのワンピースで撮ったし、10歳のハーフ成人式もこのワンピース。

子供はどんどん大きくなっていくので同じ服は着られないけど、私はずっとこのワンピース。

それがより成長を感じられるのです。

子供の成長も、私の成長も。

次はいつこのワンピースを着ることになるでしょう。

私にとっては写真を撮るタイミングより、このワンピースがいつまで入るかっていうのが実は一番の問題なんですけどね（笑）。

母として、スタイリストとして、この黒いドレスにずいぶん助けられました。
カッティングが綺麗なシンプルな黒のロングドレスは小物のアレンジ次第で
シックにも華やかにも。きちんとさを保ちながら、
自分らしくコーディネートできるのでとても気に入っています。
アルディノアールは「黒」のブランドなので、
そのスペシャリスト達が作る服はやっぱり素敵。

私らしさを支える デニムたち

1年の100日くらいはデニムを履いているかもしれません。

そのくらい定番アイテムです。

最近の夏は暑すぎるので、リネン混でもない限りデニムを履く気になれませんが、年齢を重ね、無理はしたくない、でも好きなものは着たいとわがままになった私でさえ、少しくらいなら我慢してもいいじゃないか…そう思えるのがデニムです。

なぜならデニムがなかったら私のカジュアルは完成しません。

そのくらい信頼しているアイテムですが、最近やっと自分の傾向がわかってきました。

そもそも私はモノトーンが好きなので、黒やグレーのデニムに惹かれます。

カジュアルだけどなんだか大人っぽい、デニムだけどキレイ目にコーディネートできるなどなど、私が目標としているコーディネートにぴったりなんです。

トータルのコーディネートがカジュアルであればあるほど黒であることが生きてくる。

だからもしかしたら、一番信頼しているのは黒やグレーのデニムかもしれません。

とは言えデニムはやっぱりブルー。

そんな気持ちもあります。

きっちりインディゴなのか、ウォッシュがかかっているのか、はたまた淡いブルーなのか、その濃淡でなんとなくその人の〝らしさ〟が出るような気がしてます。

そして一番のポイントはシルエットではないでしょうか。

色がトレンドになることもありますが、デニムに関してはシルエットが大きく時代を象徴すると思うんです。

20代の頃流行ったローライズ。

そのロー具合を競ったものですが、スタイル

はよく見えないくせに下着はチラチラ見えるし、一体何がよかったのか（笑）。

今となってはすっぽりお尻の隠れるハイウエストが安心の定番となっています。

これも来年はどうなっていることやら。

テーパード？ ワイド？ フレア？

そのシルエットは懐かしくもあり、新鮮でもあります。

もう何周も繰り返しているから、年代によってそのシルエットに対する想いは様々。

これからはもう流されたくないなぁ。

これさえあればと思えるいくつかのデニムに出会えたので、そろそろ数を増やすのはやめてみようと思います。

でもさ、やっぱりたまには更新したいのがデニムよね。

たまには許すことにしよう。だって1年に100日履くんだもん！

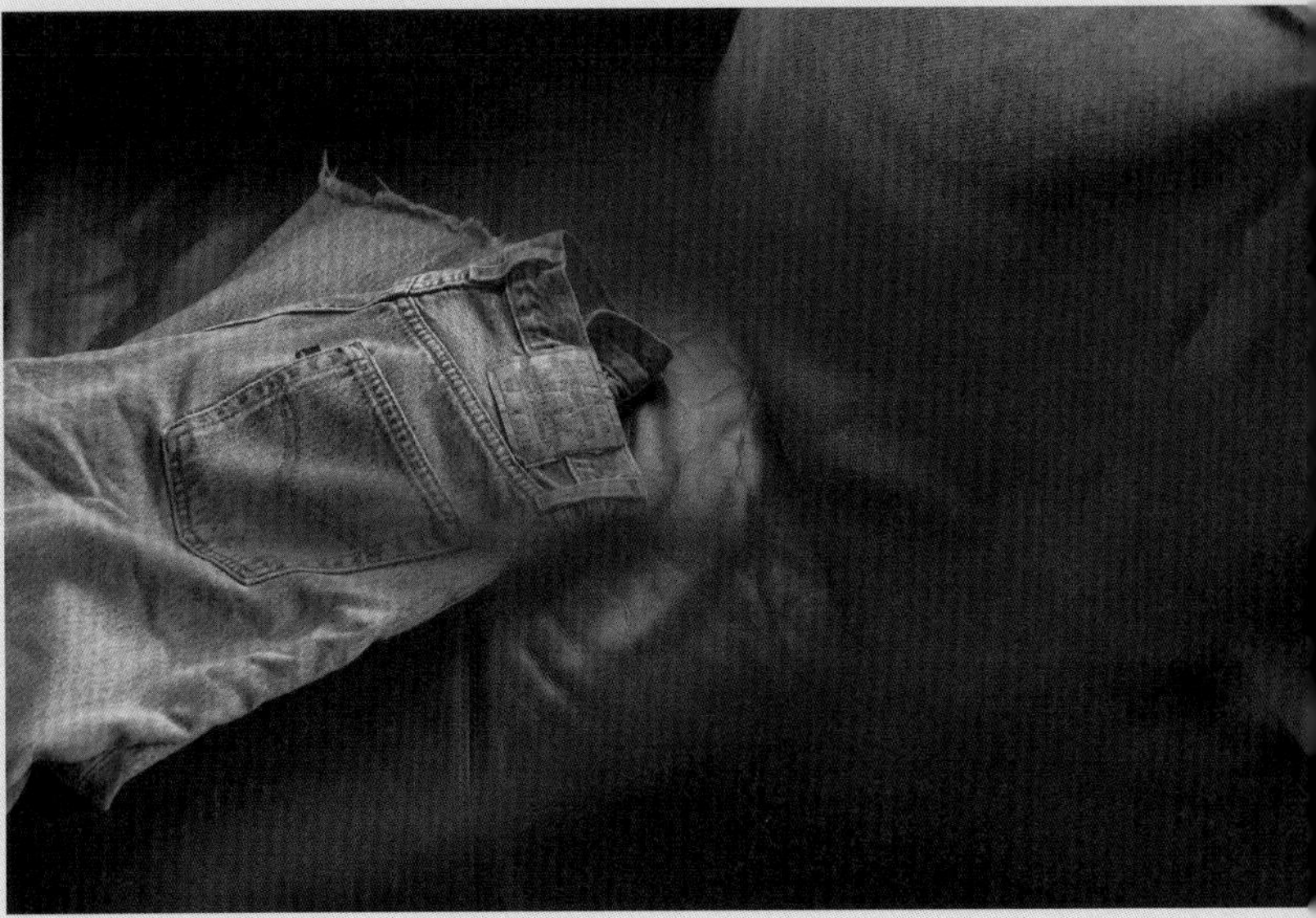

リーバイスの501

古着屋さんで購入したリーバイスの501。一体いつから履いていることやら。

トレンドでも美脚でもないけど、このデニムが一番「ただいま」って言えるデニムかなぁ。

洗う度に色も素材も薄くなっていくけど、なんだか絶対に捨てられないんです。長く会ってないけど、会えばすぐ昔のように戻れる幼馴染みたいな感じかな。これがあるから、おしゃれも冒険できるし、頑張れているんです。

リーバイスGジャン

「それどこの？」「古着なの〜。」何度こんな会話をしたことでしょう。

あの時出会えて、買うことを決めて、心からよかったと思っているアイテムです。

古着は出会いが大切なので、その時ピンとくるかがとても重要。そのピンときた気持ちに素直になることも重要。出会いや直感を逃さないように常に自分の心が何に反応するのかチェックしていなくちゃ。

シンゾーンのデニムパンツ

10年選手のシンゾーンのカットオフデニム。グレー、ブルー、淡いブルーの3色を持っています。好きなものは色違いで、なんなら全く同じものを買っちゃうのってスタイストのクセでしょうか。たくさんの服に毎日触れているからこそ、本当に好きなものってなかなか出会えないことも知っているんです。だから……いいよね？（笑）。

エーゴールドイーのGジャン

昔からブラックやグレーのデニムが好きでしたが、Gジャンは初めて。

カジュアルはモノトーンで大人っぽくが一番簡単で好きなので、今はAGOLDEのGジャンがお気に入りです。オーバーサイズなので、メンズっぽく着られるのも好きなポイント。とは言え、大きすぎないサイズ感で、春はTシャツの上にサクッと羽織れるし、秋はざっくりニットを中にも着られる。冬はさらにオーバーサイズのコートの中にレイヤードしても可愛い。毎年3シーズンはお世話になっているようね。なくてはならないデニムアイテムのひとつです。それにしてもこのオーバーサイズブームはいつまで続くのかしら。

アクネストゥディオスの スキニーデニム

今も自分のアイデンティティはここにあるような気がしています。

フランス留学時代、黒スキニーデニムが定番になりました。

モノトーンは元々好きでしたが、カジュアルなデニム素材でミニマルな黒というのが妙に自分にしっくり来たのを覚えています。色々履きましたが、やっぱりアクネに戻っちゃうなぁ。結局丈夫なのよね。

CHAPTER

3.

Outer

私がアウターへの投資を惜しまない理由

私、ここだけは投資することにしています。
高いものが好きとか、ブランドが好き、というわけではないのですが、
アウターはコート、ジャケット共に、素材や仕立てにごまかしが効きません。
だから、なるべく投資してもいいと思えるようなアイテムを選ぶことにしてます。
もちろんお値段はしますが、その値段の価値がとにかくわかりやすい。
やっぱり高いものはそれなりの理由があると感じます。
はじめて憧れのサンローランのジャケットに腕を通した感動を忘れられません。
あぁ、これが本物か、と。
そのくらい仕立ての良さというのは、心地良さと直結しています。
着心地が良いから毎日着る、毎日着るなら投資してもいいのでは？
年に一度しか登場しないアイテムより、よっぽどお金をかける意味があると思います。
自分の気分すら変えてくれるんだから。
トレンドのアウターを何枚も買うより、
一枚でもいいから自分がこれだと思えるアウターに出会って欲しいです。

そしてこのアウターたちは何度も何年も着るほどに、
自分にピッタリと馴染んできてます。
いい素材はちゃんとそれを実感させてくれるんです。
まるで体の一部みたいにしっくりくるジャケットや、とても軽いロングコート、
快適な機能性のあるものまで。
それぞれに合うシチュエーションがあると思いますが、
どの場面でもいいアウターは私をハッピーにしてくれます。
TPOや防寒だけじゃなく、自信を持たせてくれるもの。
自分に似合うものを着るのが一番ですが、たまには、これに〝似合う自分になりたい〟
というものがあってもいいと思うんです。
憧れは自信に変わり、いつか〝らしい〟アイテムになるのをゆっくりと楽しむ。
それが私がアウターに投資する理由です。
ね、やっぱりアウターはいい方がいいでしょう？

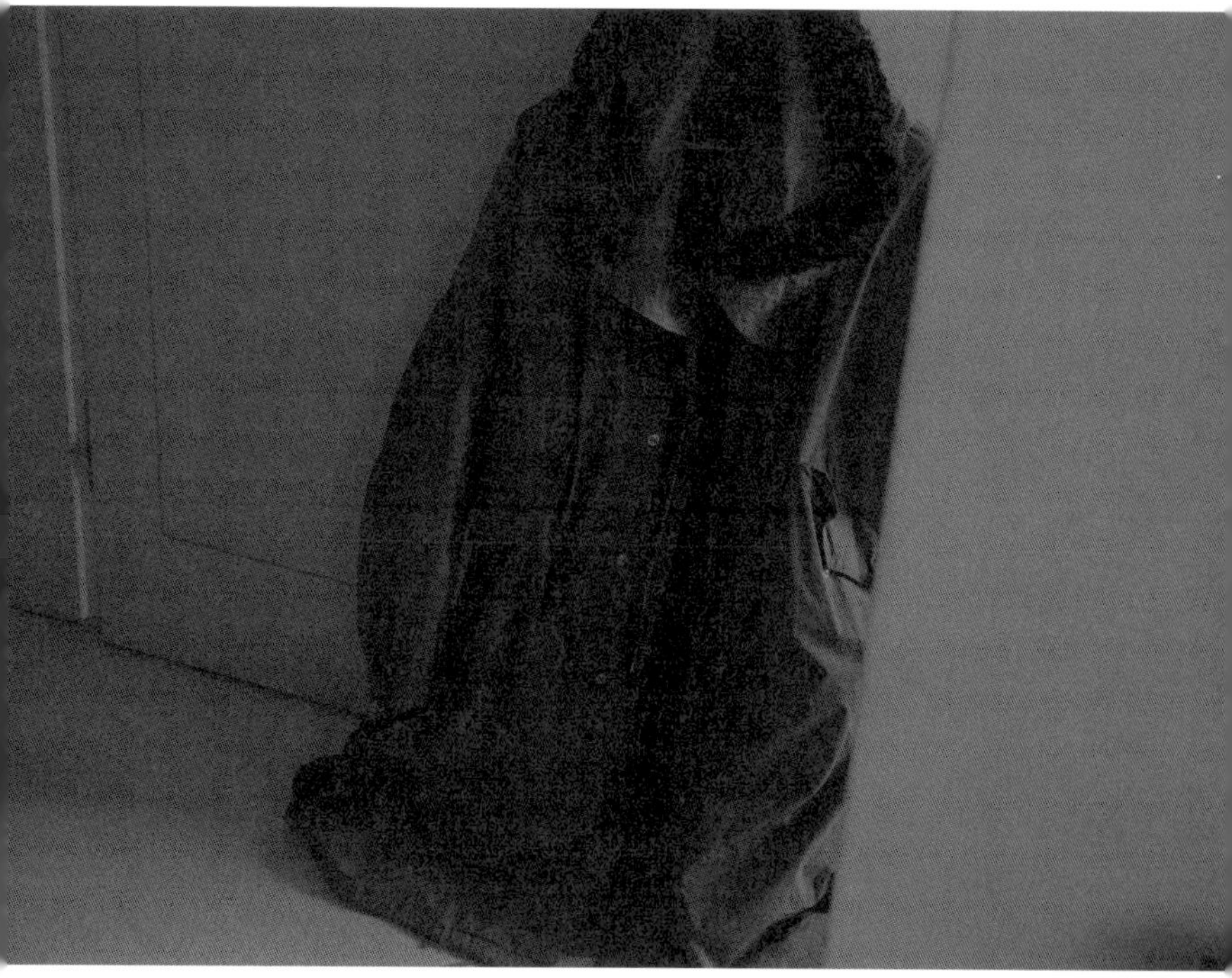

マックスマーラのアイコンコートたち

可愛いボリューム感と合わせやすさ

テディコートが誕生したのは2013年。

その頃からずっとずっと気になっていましたが、なかなか手が出せずにいました。

だってだって、お高いじゃない？

それにとにかくボリュームがあるので、クローゼットにそれなりのスペースを確保しないと収納できないのです。これ、テディコートあるあるです。そのボリュームが可愛いんだけどさ。なので購入を検討している方は是非とも最初にスペース作りからはじめてください（笑）。

毎年冬を迎える度にマックスマーラのウィンドウを見ては憧れ、手持ちの服とのコーディネートも数えきれないほどイメージしました。

きっと自分のユニフィームであるデニムにも間違いなく合う。

そしてリトルブラックドレスにも合わせてフォーマルな装いもできる。

前向きな理由を見つけては、いやいや本当に必要かな？ずっと着られるかな？と、自問自答を繰り返していた40歳頃、もう買わない理由が見つけられなくなったので、ついにこのコートを購入したんです。

№ 01

BRAND	MAX MARA
ITEM	（左）テディベアアイコンコート （右）101801アイコンコート
COLOUR	camel

いつかこのコートを着こなしたい

ブランドのアイコンが大好きなので、誰とどんなにかぶろうとも、色は一番マックスマーラらしい〝キャメル〟と決めていたので迷うことはありませんでしたが、悩んだのはサイズ。

どのサイズを選んでもオーバーサイズなのですが、さて、どのくらいオーバーにしようかな？と。

すでにボリュームがあるので大きすぎると体までボリューミーに見えるんじゃないかと心配したり、真冬はざっくりニットも着たいけど、秋はハイゲージのニットやカットソーとも合わせたい。

どんなインナーを着る時にもかっこいいサイズ感であってほしい。

161センチ、中肉中背、オーバーサイズ好きの私が選んだのはMサイズ。

正直SでもLでも〝アリ〟だったけど、最後はもう直感！

ピンと来るまで何度も試着に行きました。

しつこくてごめんなさいませ。おかげでこのサイズ感、ちょうどいい。

やっぱり最後は直感なのよね。って結構失敗もしているんですけど（笑）。

ボリューム感が可愛いマックスマーラのテディコート。
普段はパンツスタイルでマニッシュに合わせることが多いのですが、
今年はワンピースやマキシスカートでちょっとエレガントに着てみたいです。
あれこれスタイリングを悩まなくても、このコートさえ羽織ってしまえば
コーディネートは完成。
今年も名品にラクさせてもらおうっと。

今となってはマイ定番になったテディコートですが、着ているとよく聞かれるのが、本当に暖かい？ってこと。

こういうボア系のアウターって、見た目はふわふわモコモコとしてものすごく暖かそうなのに、実は着ている本人は凍えそうなパターンがよくあります（笑）。

だけど、そこはアイコンたる所以。

これで寒かったら、マックスマーラで〝顔〟になることはできないでしょう。

本当に、本当に、暖かい。

なんなら室内では汗をかいてしまうくらい。

テディコートはタウンユースが一番おすすめ。

冬の寒空の下、モコモコに身を包み、グレーの街を颯爽と歩くのはなんとも幸せな時間です。

あぁ、どうしてもっと早く買わなかったのかなぁ。数年損した気分すらしています。

登場した時は可愛さもそうですが、あまりにもキャッチーな見た目だったので、もしや今季だけのトレンドかも……と、ちょっとした猜疑心が私に数年我慢をさせました。

その数年の間にこのコートは揺るがないポジションを築いたので、必要な時間だったたってことよね。

可愛い、軽い、暖かい、愛してやまないテディコートですが、唯一の欠点を言うならば、脱いだ時のボリューム感が大型犬、いや小さな熊くらいあるってこと（笑）。電車や美術館の中で、ちょっと脱ぎたいなぁと思ってもなかなかそうはいきませんのでご注意を。

そして今年は新顔のコートが一枚仲間に加わりました。

こちらもアイコンコート、101801。

私にとっては新顔ですが、こちらはテディコートよりもっと歴史があります。

たっぷりとしたサイズ感、マニッシュな雰囲気、そこに香るエレガンス。

今の私には少し大人っぽいかなぁと思いましたが、カジュアルダウンすることもできるし、そういえばもう十分大人なので、たまには思い切りエレガントに楽しむのもいいかもしれません。私の冬のクローゼットに並ぶこの2つのキャメルの特別なコート達。このコートを着ながら、早くこのコートに追いつきたいと毎年思うんです。

きっとこのコートが本当にしっくりきたら、私のおしゃれは完成することでしょう。

そんな日が来るのを、楽しみにしています。

サンヨーの
トレンチコート

忘れられないプロフェッショナルたち

あれは確か10年前くらい、雑誌の企画でトレンチコートをコラボレーションさせてもらったのが出会いでした。

それまではメンズのイメージが強かったSANYOコートですが、実はレディースのラインナップも豊富。

それにこんな素晴らしいコートが日本で作られているということをみんなに伝えたい、伝えなきゃ、と思ったんです。

そんな風に思えたのは、取材で青森の八戸にあるサンヨーソーイング青森ファクトリーを訪れたから。

ファクトリーの規模や、整った生産ラインは圧巻でした。

その中でも一番素晴らしかったのは、やっぱりそこで働く人達。

こんなプロフェッショナルな仕事は見たことがないってくらい、衝撃を受けました。

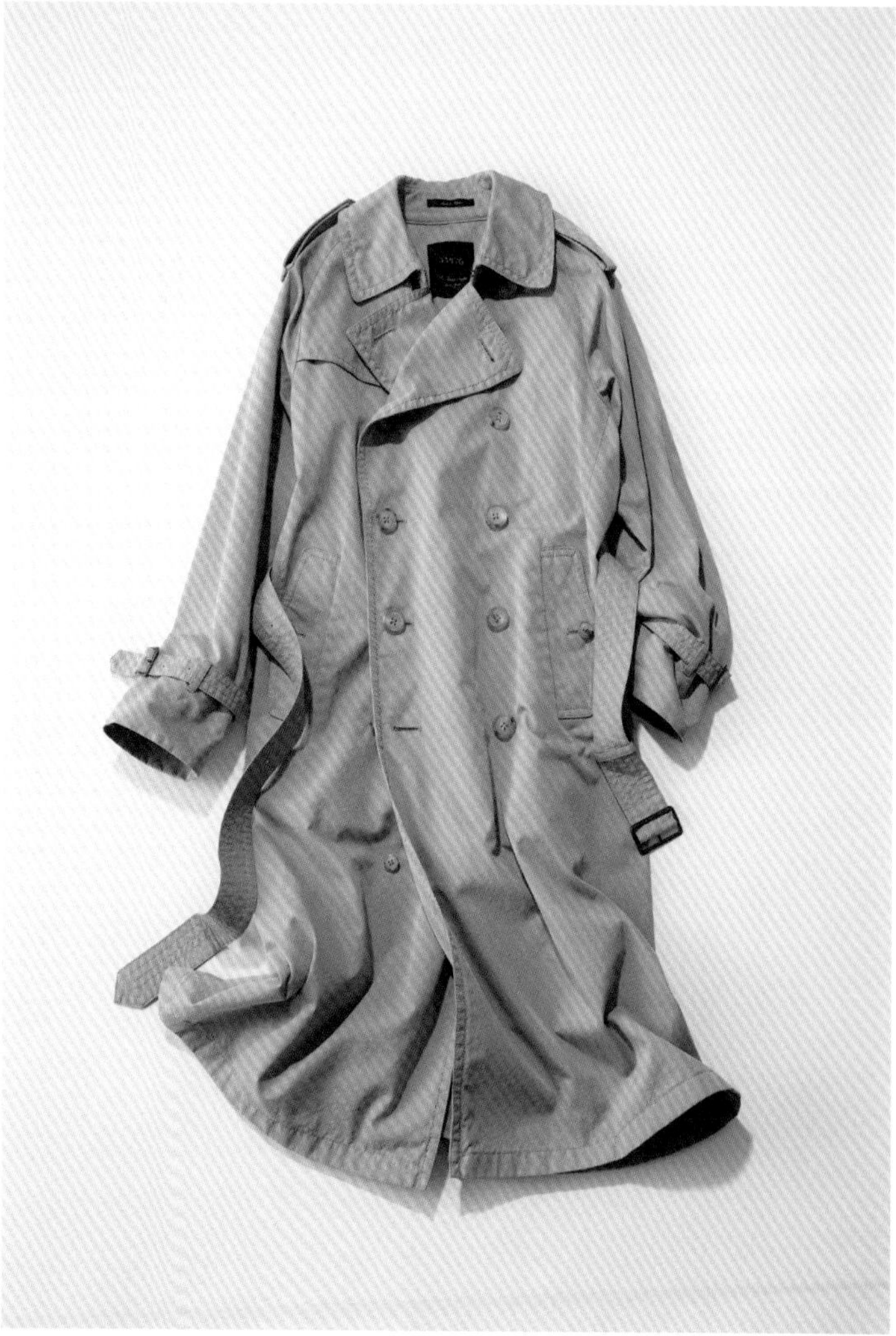

Nº 02

BRAND	SANYO
ITEM	トレンチコート
COLOUR	beige

まさに〝日本工芸〟なトレンチコート

パターン、裁断、縫製、アイロン……と、それぞれのプロがそれぞれの仕事をする。

もちろん一枚の服を作るのにひとりの人が全てやる工程もクラフト感があって素晴らしいと思いますが、あの規模のファクトリーとなるとラインにのせてやりくりするのが通常です。

毎日同じ作業で飽きないかなぁ、なんて勝手に心配したりしましたが、自分の仕事となれば右に出る者はいないので、自信と誇りを持って作業に取り組んでいらっしゃるように見えました。

襟だけで何十年も作り続けているなんて職人さんもいましたよ。

それってすごいことだと思います。


この経験から色々なファクトリーやアトリエを訪れて職人さんの話を聞くのが大好きになったのですが、日本は元々こういう職人さんがもの作りをしていた文化があると思います。

だから私達の中にはこういった繊細な感覚がDNAで残っている気がしませんか？

ファッションとなると海外ブランドにおされがちですが、生地も染めも縫製もmade in japanはやっぱり素晴らしい！

そしてそれは少しずつ海外にも浸透しているようです。

日本の織物の生地を使って、日本の染色技術を取り入れて……そんな話をちらほら聞きます。

もの作りが盛んな土地でメゾンブランドのご一行様に遭遇したことも。

大人になればなるほど実感します。

この国が誇れるものはまだまだたくさんある、と。

ハイテクな技術はもちろんですが、昔ながらのもの作りもやっぱり魅力的。

まさに日本工芸。もうこのコートはその域に達していると感じます。

そして着るたびに、ちょっと恥ずかしがりながら取材に答えてくれたファクトリーのみなさんを思い出します。

たくさんのプロフェッショナル技と心がつまった一枚のトレンチコート。

あたたかくて心地良いのは素材のおかげだけじゃないはず。

一生大切に着たいと思います。

ハイクの
ナイロンコート

デザインだけじゃなくて、心地良さも大切に

ここ数年、私の中で色々ハイブリッドが定番です。

特に服。〝デザインと機能〟この組み合わせが必須条件。

若い時なら〝可愛い〟だけでモノを選べたりしました。それがどんなに重くても、硬くても、痛くても（笑）。

思い返すとなんであんなに無理をしていたのか笑っちゃいますが、そのくらい〝見た目〟が重要だったんです。自分が心地良いと感じるかは二の次でした。

どんなに我慢しなきゃいけなくたって、かっこよくなきゃファッションじゃない！

そんな風に思っていたから。

実は自分の心地良さを優先できるようになったのは、ついここ数年のこと。

コロナでの自粛期間は、自分を見つめ直すきっかけになったし、ファッションだけじゃなく、健康と真剣に向き合うことになりました。

アスレジャーファッションという分野が急成長するなど、みんなの健康への意識が高くなり、可愛い（デザイン）だけじゃない、ちゃんと心地良いもの（機能性）を日常服に求めるようになりました。

№ 03

BRAND	HYKE
ITEM	パーテックスコート
COLOUR	black

今の私達にちょうどいい。現代版のミリタリーウェア

そんな意識の変化もあり、性別問わず「それどこの?」とよく聞かれるハイクのコート。少しモードなデザインを機能素材で作ったら、こんなちょうどいいバランスになるんだなぁ。さすが!

ユニセックスな雰囲気もクールだし、デビューしてからずっと人気ブランドなのも頷けます。

私の中でハイクは現代版のミリタリーウェア。

デザインもミリタリーからインスピレーションを得ているものが多いし、ミリタリーウェアは色々な天候に対応できて丈夫なモノじゃなきゃいけないから、そこから重い、硬い、痛いをとれば今の私達にちょうどいい。

そしてミリタリー好きはメンズだけでなくレディースにもたくさんいるわけでして。

そんな人々を魅了してやまないんですよねぇ、このブランドは。

だってこんな素敵なナイロンコートが雨の日にも着られる機能服だなんて!

今までだったら考えられなかったデザインと機能のコラボレーション。

これからどんなハイブリッドが生まれるのか……ワクワクしかない!

ハイクのナイロンコートがやってきてから、雨の日が楽しくなりました。
ただの「カッパ」じゃなくて、
着るだけでモードな雰囲気を作ってくれる「おしゃれカッパ！」。
ハイテク素材のせいでしょうか、男性にもそれどこの？とよく聞かれます。
洗練されたスポーティでユニセックスなデザインは、
雨の日じゃなくても活躍してくれています。

シャネルのツィードジャケット

いつかはと思い焦がれたブランドのアイコンジャケット

誰もが一度は憧れるブランドの代表であり、どの時代も女性に（時には男性にも！）勇気を、自信を与えてくれるブランドがシャネルだと思います。

バッグや靴、コスメのイメージが強いブランドですが、このブランドで私が最も憧れていたものがツィードジャケットです。

シャネルといえばツィード、ツィードといえばシャネル。

そのくらいブランドを代表するアイコンは、やっぱりツィードジャケット！

マルチカラーや明るい色もたくさんデザインされていますが、私は眺めるだけじゃなくて実際に毎日着られるようなものが欲しかったので、タイミングも重なって黒を選ぶことになりました。

いつかいつかとは思っていたものの、まさか自分が本当にこのジャケットを着られる日が来るなんて……。感慨深いなぁ。

まぁ、ちょっと衝動買いみたいなところはありましたが、今でもあの時、清水の舞台から飛び降りてよかったと思っています。

№ 04

BRAND	CHANEL
ITEM	ツィードジャケット
COLOUR	black

シャネルが作る、日々戦う女性たちの〝スタイル〟

黒いセンタープレスのワイドパンツでエレガントにコーディネートすることもできるし、デニムでカジュアルダウンさせることもできる。スカートにもワンピースにも何にでも合うのはデザインしているのが女性だからでしょうか。

現デザイナーであるヴィルジニー・ヴィアールさんは創業者ガブリエル・シャネル以来、初めてこのブランドの顔となった女性ディレクターです。

彼女の作る服は、見た目のエレガントさだけじゃなく、その人自身を輝かせてくれる服。他のどこにもない上質な素材、一日中快適でいられる着心地、カジュアルにも合わせられるデザイン……とにかく実用的。

女性が服を着る上で何が重要か、その部分をとても大切にデザインしているような気がします。私達の生活には貴族の遊びや社交会なんてないから（笑）。ちゃんと一日働けるジャケットが必要でしょう。

ガブリエル・シャネルが流行じゃなくスタイルを作ったように、彼女も現代女性のスタイルを作っているんだと思います。今の時代にあったやり方で。

私達、毎日戦ってるものね。

久しぶりにした大きな買い物は、手こそ震えなかったけど心が震えまくりました。シャネルのツィードに憧れ続けて一体何年経つのかわからないけど、やっとやっと私の元に来てくれた。プロポーズじゃなきけど、一生大切にするからね（笑）。緊張して出番が少ないなんて、若い頃の失敗は繰り返しません。私の体にぴったりになるくらい毎日のように着るんだから。

TOPS: CHANEL
CUT SEW: SAINT JAMES
BAG: no brand
SCARF: SAINT LAURENT
BROOCH: agnes b
BROOCH: JENNIFER CURTIS
BOTTOMS: Totême
SHOES: Keds

サンローランのテーラードジャケット

パリで学んだマイジャケットへの憧れ

私には憧れのジャケットというものがいくつかありまして、この黒のテーラードジャケットは特に思い入れがあります。

なぜなら一番初めに手に入れた、憧れのジャケットだから。

30歳でフランスに留学して、パリジェンヌ、パリマダム達からたくさんのことを学びました。特にファッションに関しては、それまでの自分の価値観が180度変わるくらいの衝撃を受けました。

トレンドが軸となるファッション業界ですが、変わらないものもあると知ったのはこの留学中です。

例えば赤リップ、無造作ヘア、白スニーカー、デニム、ショートブーツ、そしてジャケット。特に黒ジャケットに関してはもはや制服のように、誰もがマイジャケットを持っていた気がします。オーバーサイズだったり、ノーカラーだったり、チェックだったり、古着だったり……。

それぞれ個性は違いますが、彼女たちが着ているジャケットを見ては、自分もいつかマイジャケットを持ちたいなぁと思っていたんです。

№ 05

BRAND	SAINT LAURENT
ITEM	テーラードジャケット
COLOUR	black

一生モノのテーラードジャケット

大切なのは素材、色、デザインがちゃんと大人であること。

そして自分の好きなマニッシュなテイストを考えると、最初は絶対テーラードジャケット、しかも黒！と、勝手にイメージしていました。

色々なお店に行ってはジャケットを試着したし、美術館や博物館でジャケットの歴史についても勉強したし、一生着れるアイテムって一体どんなものなんだろうと何度も何度も考えました。

たぶん一生着られる服なんてほとんどないと思いますが、体型とメンテナンス次第では、黒のテーラードジャケットには可能性があると思います。

だって、10年以上前に買ったこのサンローランの黒いジャケットがいまだ現役なんですから。

何も古くない、なんならどこのですか？と今も聞かれちゃう。

それって本物の証ですよね。

どうやら自ら証明しちゃったようですねぇ（笑）。

だからここに投資する価値はあります、ときっぱり言えます。

コートと同じく、よほどトレンディなデザインに手を出さない限り、シンプルな黒のテーラードジャケットは永遠です。

特にサンローランのジャケットは！

女性が男性の服を着ること、肌を露出せずに女性の魅力を出すこと、このジャケットはただのメンズライクな服ではなく、その頃の女性の常識を変えたと言われています。

だからこのジャケットを着ると気持ちが引き締まるんです。

たくさんの女性達が時代を切り開いてくれたおかげで、今、私達は好きな服を着ることができるんですよね。

そしてこのスリムなジャケットは常に私の戒めになっています。

色々な黒いジャケットを試しましたが、その中でも群を抜いてタイトなシルエット。

「来年も素敵に着られるかい？」

なんだか試されているようです。

毎年ちょうどいい季節に腕を通しては、まだ大丈夫、と胸を撫で下ろしています。

さて、来年はどうかしら。少し運動しなくちゃ。

セリーヌのネイビーブレザー

ずっと着られる〝紺ブレ〟を探し続けて

私はエディ・スリマンが好きなんでしょうか。

彼について深くは知らないけど、彼がデザインしたジャケットを2つ持っています。

ひとつめは一生物になると確信している（私が体型をキープできればね！）サンローラン時代の黒のテーラードジャケット（P116）。

そして2つめがこのセリーヌ時代、つまり今現在のネイビーブレザー。

こちらも一生着たいと思えるくらい気に入っています。

どちらも彼のデザインなのはただの偶然なのかな。

ネイビーブレザーは、それこそオリーブ少女だった10代の時から憧れ続けてきたアイテムです。

トラッドな印象のブレザーを王道にローファーで仕上げたり、ちょっとはずしてモードなスタイリングをしてみたいとずっと思っていました。

ここに来るまでにいくつかのネイビージャケットを通ってきましたが、どれも一生物や定番にするには何かもの足りなくて、それこそずっと着られる〝紺ブレ〟を10年以上探し続けていたんです。

№ 06

BRAND CELINE

ITEM クラシックジャケット

COLOUR navy

世界で一番エレガントでロックなジャケット

そしてある日、気がついたらセリーヌにいました。

出会いって本当に偶然訪れるもの。人も、服もね。

セリーヌのジャケットが素敵なことは知っていましたが、まさか紺ブレがあるなんて！

この紺ブレに引き寄せられてこのお店に入ったんじゃないかしら。

こうなるともう都合よく運命を感じるしかない。


その偶然の出会いにも驚きを隠せませんでしたが、お値段にも素直に驚きました。

うぅむ、どうなんだろうか。

私が知っているジャケットの値段じゃないぞ、と。

だけど、今まで購入してきたネイビージャケットのお値段を合計したら、もしかしてこれに近い金額になるかもしれない。

本当に今後買い替えず、一生着ようという意気込みならもしかして高くないのかも。

運命なら仕方がないじゃないか！

数ヶ月あれやこれや考えましたが、試着したら最後。

「これください。」しか言えませんでした（笑）。

上質な素材、完璧な縫製、体にジャストサイズなのに窮屈さはこれっぽちもなく、むしろ着てないみたいに動きやすい。

これが本物か……。

着てみて初めてわかる、間違いのなさ。

きっとこれをデザインしたのがエディだったのは偶然じゃない。

私の中の何かが、ジャケットというものに対してエレガントであれ、そしてロックであれ、と願っているんです。

だからその2つを兼ね備えるエディ・スリマンのジャケットに惹かれるんでしょうね。

そしてジャケットを着る時は気持ちが〝オン〟になることが重要です。

体はラクチンだけど気持ちが引き締まる、そんなジャケットをこれからも探し続けていきたいです。

またエディだったりしてね。それこそ本当に運命感じちゃうなぁ。

デパリエのツィードベスト

パリの流行と伝統を体現する日本のブランド

デパリエというブランドに出会ったのは、数年前。

スタートしたのが2021の秋冬だからまだまだ新しいブランドです。

フレンチシックを体現するような日本のブランドを知ることができて、とても嬉しかったのを覚えています。

だってパリが、パリジェンヌが大好きだから！

デパリエがコンセプトにしているようなパリ6区に住んだことはありませんが、6区は大好きなエリアです。

ファッション、ビューティー、カルチャーもあればリュクサンブール公園もある。

流行と伝統、ここにはその全部がつまっているから。


コンセプトもあいまってこのブランドのファンになったわけですが、ここのエスプリ？こだわり？予想以上にすごそうです。

何度か展示会にも足を運びましたが、いつも欲しいものだらけ。

だけど私のクローゼットはすでにぎゅうぎゅうなので、真剣にちゃんと選ばないと。

№ 07

BRAND	DÉPAREILLÉ
ITEM	ツィードベスト
COLOUR	black

コーディネートがわくわくする、便利なベスト

このブランドのアイコンはいくつかありますが、その中でも光り輝いていたのがこのツィードベストです。

ベースは黒ですが、一緒の金の糸が縫い込まれていて表情のある素材感がクラシカルで素敵だったのと、ベストという私のいまだかつて知らない分野のアイテムがなんだか新鮮で、それこそ流行と伝統をミックスしたらこんな感じかな、とコーディネートを考えるとワクワクしました。

レディースのベストに関してはここ数年で人気を得たものの、合わせやすいので一時のトレンドじゃなく、定番になりつつあります。

そう、定番になるには可愛さだけじゃなくて、便利さが必要なんです。

そんな市民権を得たベストがまさにこれ！

このデパリエのベストをきっかけに、私のベスト人生の幕が開いたわけで、きっとこれから違うベストにも挑戦することでしょう。

今まで着たことのないデザインや色を着てみると案外似合ったりするのは、このお年頃の面白いところですね。

ここ数年で定番化したベスト。それまではおしゃれ好きのための特別なアイテムだったのに。
着てもいいし、着なくてもいい。あったかくもなければ寒くもない。ベストをコーディネートに入れるって、本当におしゃれだと思う。プラスすることで素敵かどうか。そういうアイテムにこだわれるようになりたいなぁ。

TOPS: DÉPAREILLÉ
ONE PiECE: DRIES VAN NOTEN
BAG: Isabel Marant
SHOES: Edition

エイトンのモッズコート

自分の好きは卒業しなくていい！

このコートに出会って、大人になっても好きなスタイルをあきらめなくていいことを知りました。

ユニセックスなアイテムが私の定番です。デニム、シャツ、ワークウェア……私はずっとそんなものが好きです。

それにフレンチっぽさを足したら、もう大好き！


だけど歳を重ねるにつれ、いつまで？ どこまで？ とまわりを気にするようになった時期もありました。

同世代のみんなは柔らかなブラウスに淡い色のプリーツスカート、キレイなお姉さんコーデをしているのに、私はいつまで男の子みたいな格好をしているんだろう。

どこかで卒業しなきゃかなぁ。

そんな時に出会ったのがエイトンのモッズコートです。

あった！ これで好きなスタイルを卒業しなくてもいいんだ！

Nº 08

BRAND	ATON
ITEM	フィッシュテールコート
COLOUR	brown

絶妙なデザインとしっかりした防寒性

ほんのひとさじ、ミリタリーのエッセンスが欲しいだけなんです。

ナイロン素材は本物よりだいぶ軽くて、シャカシャカとエアリーな印象。

フードにあしらわれたファーやボアが少しリッチな雰囲気に見せてくれるし、オーバーサイズを選んだのでボーイッシュなイメージはそのままに、パンツでメンズライクなコーディネートを楽しむこともできれば、ワンピースを合わせてフェミニンなミックスコーディネートにしてもいい。

とにかく私の好きを全て叶えてくれるコート。

そして本当に暖かい。これ、大事！

デザインに気を取られてうっかり忘れそうになってしまうけど、コートの一番大切な仕事は防寒です。

もう我慢したくないのでちゃんと可愛く、しっかり防寒。

毎年、そろそろ本気で寒くなってきたぞ、と感じたらこのコートの出番です。

フランスの冬も乗り越えることができたんだから、なかなかの強者。

これからも冬の私をよろしくね！

ユニセックスな雰囲気が人気のエイトンのモッズコートは
寒いパリの冬も乗り越えられた優れもの。
デザインの素敵さもさることながら、
ちゃんとあったかいってコートとして一番大事。
もうおしゃれは我慢だなんて言っていられない！
機能もデザインもどっちも諦めたくない。

正解がないからこそ楽しめるコスメ

香水に関してだけは浮気者ですが、あとは本当に変わらぬものを愛し続けています。

シャネルのネイル、クリニークのマスカラ、シュウエムラの赤リップ、ラロッシュポゼの日焼け止め……。

一体何回リピートしたことでしょう。

もちろんたまには違う赤リップもするし、カラーマスカラだってしますが、それはこのベースがあるからこそ。

戻ってくる場所があれば、人は安心して冒険できるってものです。とはいえ美容が気になり出したのはここ数年。

ハイライトもシェーディングも知らずに、ヘアメイクさんから一体今までどんなメイクをしてきたのよ？と驚かれるほど。

本当に無頓着だったんです。

40歳を過ぎ、肌も髪も変化してきて、やっと気になり出したという…だいぶ遅いデビューです。

だからこそ楽しい！

今まで選んだことのないアイシャドーを試したり、ヘアオイルを試したりしながら、正解なんてない美容の世界を楽しんでいます。

初心者なものでもちろん失敗もたくさんありますが、今はその失敗すら笑って楽しめるようになりました。

おしゃれも美容も絶対の正解なんてないんですよね。

ある程度の常識はあるけど、人それぞれ。

自分が心地よいと思えるか、どこまで挑戦できるか、そういう部分がより探究心を駆り立てるし、新しい自分に出会いたいと思わせてくれるんです。

若い頃、太い眉がコンプレックスで悩んだり、くせ毛に悩んだりしましたが、あまり深く考えず、ひたすらファッションのことばか

り考えていました。

ファッションと美容は切っても切れない関係だということに気がついていなかったんです。

でもいつからかどちらかだけではダメだと思うようになったんです。

高価な服を着ていても、肌や髪が手入れされていなかったらどうでしょう。

むしろ服はシンプルだけど肌や髪が整っている人の方が素敵かも。

そんな風に思うようになりました。

すべてひっくるめてその人なんです。

だから今はプラスするんじゃなくて私が持っているものを最大限に活かせるような努力をしようと思っています。

肌で言えばビタミンCをとったり、新しい肌ケアに挑戦したり、髪はスカルプケアを大事にしています。ひとまずは畑を耕そう。

畑がちゃんと整ったら、また新たな美容に挑戦してみたいです。

香水

香水はコーディネートの一部のように考えています。

その日の天気だったり、気分や服装、誰に合うのかを考えて香りを選ぶ時間も楽しいひととき。マルジェラのレイジーサンデーモーニングは週末につけているので、この香りを嗅ぐと心も体もオフになります。そんな風に使い分けるのも楽しいですよ。

左から Aesop　Santa Maria Novella　Diptyque　Jo Malone London　Maison Margiela　Le Labo

シャネルの
ピンクマニキュア

そこにあるだけで気分を上げてくれるマニキュア。優しいピンクは手を綺麗に見せてくれるし、さりげなくケアしている感じも伝わるので清潔感にも繋がります。もうだいぶ言葉で主張できるので、爪で表現しなくても大丈夫（笑）。どちらかというとどう控えめに見えるかの方が今の私には重要です。だってもう誰も注意してくれないじゃない？（笑）。

シュウウエムラの赤リップ

赤いリップはパリジェンヌ達の真似っこで始めました。みんな自分に似合う赤をたくさん試してきているんだと知った時は、エレガントやセクシーが小さな頃から常に彼女達の隣にあるんだとカルチャーショックを受けました。たくさんの赤リップを持っていますが、マットが好きなので、これ以外唇が荒れないものにまだ出会えていません。

まだまだしばらくはシュウウエムラが定番になりそうです。

アレクサンドルドゥパリの
ヘアアクセサリー

少しずつ買い足しているアレクサンドルドゥパリのヘアアクセサリー。

似たようなものはたくさん売っているのだけど、このブランドにしかないエスプリが好きなんです。私はヘアクリップやカチューシャを愛用しています。さりげなくて上品なところが大人のヘアアレンジにぴったりです。

毎日何かしらのこのブランドのクリップをつけたり、持ち歩いたりしています。

バネが緩くなってしたら修理してまた使います。メンテナンスしながら長く使えるのも愛着が湧く理由でしょうか。

クリニークのマスカラ

初めて使った時は衝撃的でした。こんな小さなブラシでまつ毛にちゃんとつくんだろうか、と。それがバッチリつくんです。むしろ目頭や目尻などにも小回りが効くと言いますか。

お湯で落ちるので、ゴシゴシする必要もないし、いいことだらけ。週末はのメイクこの一本に頼りきりの日も。

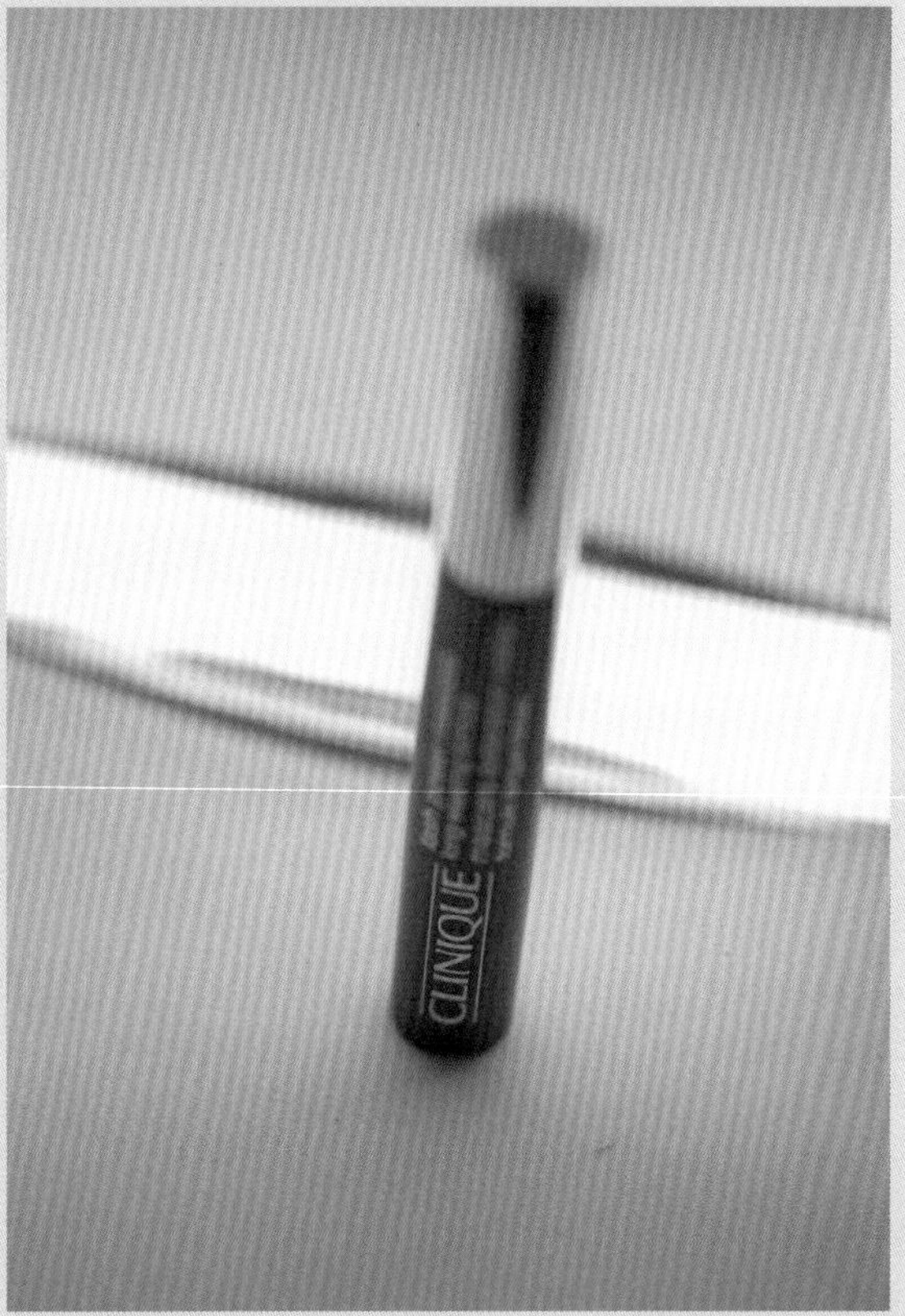

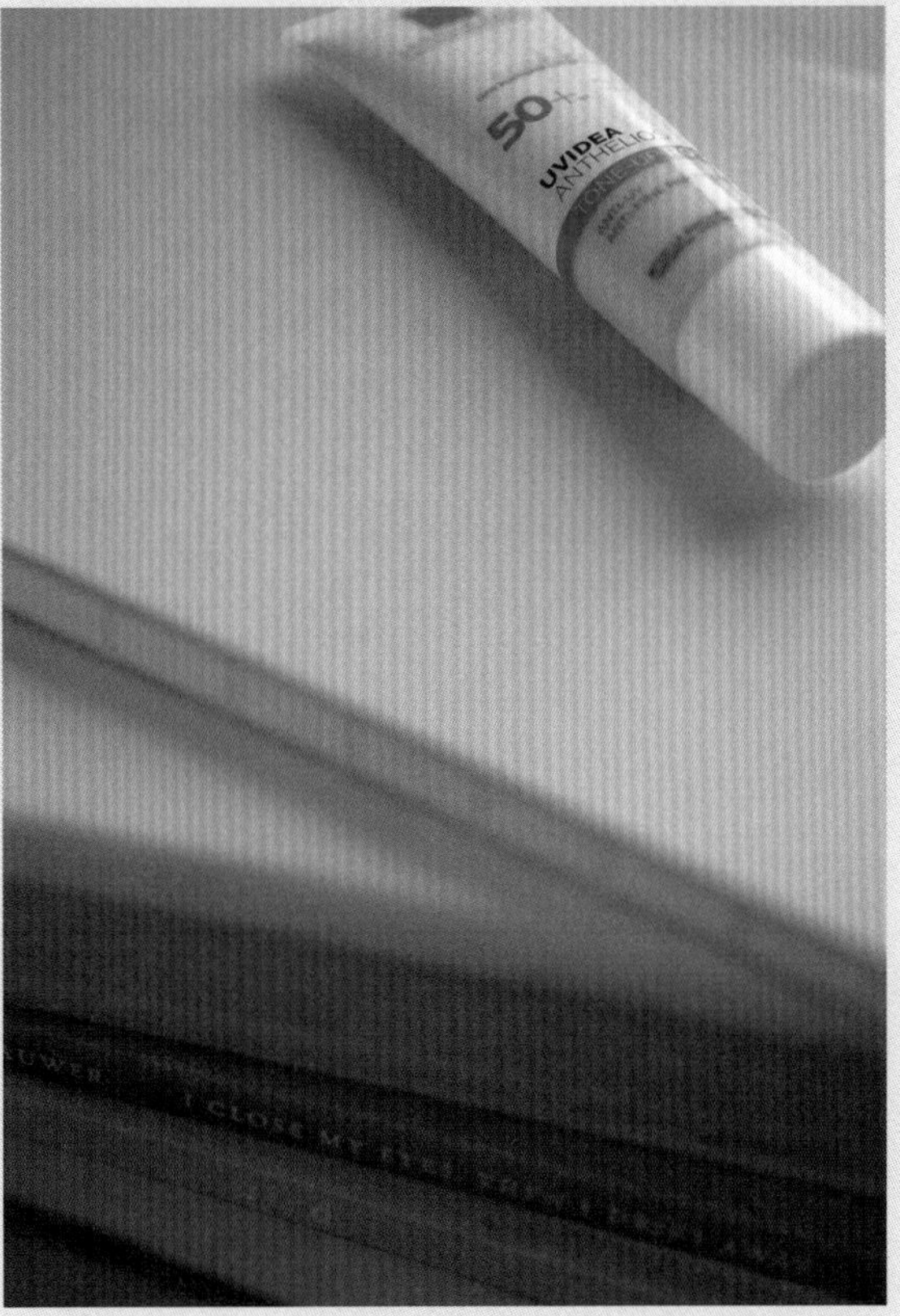

ラロッシュポゼのコンシーラー

これ一本で肌を作っていた時代もありましたが、今はこれとスティックタイプのコンシーラー。この二つがあれば基本のきは完成です。日焼け止めとしても、ベースとしてもとても優秀で、トーンアップさせてくれたり、色むらをカバーしてくれたりするので、もうこれなしでは暮らせません。末長くよろしく頼むよ。

ニュクスのプロディジューオイル

美容師さんにおすすめして頂き、買ってみたら肌にも髪にもピッタリだったニュクスのプロディジューオイル。確かに、パリジェンヌからはこの香りがする気がする！

顔、体、髪、頭皮、爪……バスオイルにまで。一本で全てのケアができちゃう優れもの。

家でももちろん愛用していますが、旅にもぴったり。

これさえあればすっきりとミニマムなライフスタイルをおくることができそう。

同じシリーズのネロリの香りも気になっています。

CHAPTER

4.

Shoes, Bags

コーディネートの要となる、靴とバッグの組み合わせ

コーディネートの要は、靴とバッグだと思います。
それぞれどんな靴、どんなバッグというのではなく、
靴とバッグの組み合わせがコーディネートの最終の印象を大きく変えます。
その組み合わせを考えるのはとても楽しい作業なのですが、
なかなかそれを楽しむ時間がないのも現実でして。
私は時短も兼ねて、靴とバッグをセットにしておくことが多いです。
この靴とこのバッグは間違いない！という組み合わせをいくつか持っておくんです。
そうすると、時間がない朝に慌てなくて済みます。
とりあえず初めて着る洋服だとしても、あの靴とバッグがあるから大丈夫だろう、と。
それに組み合わせておくと無駄に物が必要ではなくなるので一石二鳥です。
その組み合わせ方法は簡単。
色で揃える。
黒い靴には黒いバッグのように、素材は違ってもとにかく同じ色、
またはグラデーションができるような色の組み合わせにしてみてください。

パンツでもスカートでもワンピースでも、どんな服を着ても、
ここがしっかり統一されていればコーディネートはまとまって見えます。

きちんと感も大人っぽさもこの小物たちが大きく関わっているんです。

そして色で揃えることに物足りなさを感じたら、イメージで合わせることもできます。

例えば、スニーカーにリュックサック、カゴバッグにバレエシューズなど、スポーティ、フレンチ、とそれぞれのアイテムが持つイメージ同士を組み合わせるやり方。

この方法で小物を組み合わせる場合も、合わせる服はなんでも大丈夫。

スポーティカジュアル、フレンチシックなど、きっとイメージ通りの仕上がりになるはずです。

なんだか最近キマらないと感じているのなら、それは服のせいではなく、
靴とバッグのせいかもしれません。
一度、組み合わせしてみることをおすすめします。
そしてこれから靴やバッグを買う方は、
ぜひその相棒が家にいるかを考えながらお買い物をしてみてください。
もしかしたらいつもの服でも意外としっくりくるかもしれませんよ。

グッチのビットローファー

うっとりする履き心地とエレガントさ

バンブーやGGパターンと、アイコニックなアイテムが多いグッチですが、私が最初に思い浮かべるのはやっぱりビットローファー。

ビットローファーとは足の甲に金具がついているローファーのことですが、このビットって実は馬具であるホースビット（馬の口に噛ませるくつわ）がモチーフなんです。

それを最初にデザインしたのがグッチ。

タイムレスなローファーというアイテムにエレガントなホースビット……その美しさにニューヨークのメトロポリタン美術館の永久所蔵品となっているそうな。

私もお店で初めて履いた時の感動を覚えています。

デザインももちろん素晴らしかったけど、うっとりしたのは履き心地。

今まであんなに柔らかいローファーを履いたことはありません。

学生時代、カチカチのローファーが制服でしたが、3年間かけてようやく足にフィットするようになりました。

とても気に入っていたローファーは馴染んだ頃には踵はすり減り、ところどころ修復できない傷ができてしまいサヨウナラ。

№ 01

BRAND	GUCCI
ITEM	レザーホースビット ローファー
COLOUR	black

履くたびにうっとりするローファー

そんな悲しい思い出も一度の試着で吹き飛びました。

もう10年間くらい履き続けたかのように足にフィットしたのです！

しかも新品のツヤツヤなまま！

あの足を優しく包み込むような感覚……さすが名品。

見た目にも美しく、今でも履くたび嬉しくなります。

だって足がすらっと見えるから。

それはワイズの細さなのか、ノーズの長さか、いつも見ているはずの自分の足じゃないように見えるんです。

履くだけでうっとりする靴。

素足で履くのが好きですが、白ソックスを合わせてプレッピーな雰囲気にコーディネートするのも気に入っています。

何十年も愛されているグッチのホースビットローファ。

どんなトレンドがやってきてもずっと現役だから本当に不思議。

来年は来年のトレンドにきっとすんなり馴染んじゃうんだろうなぁ。

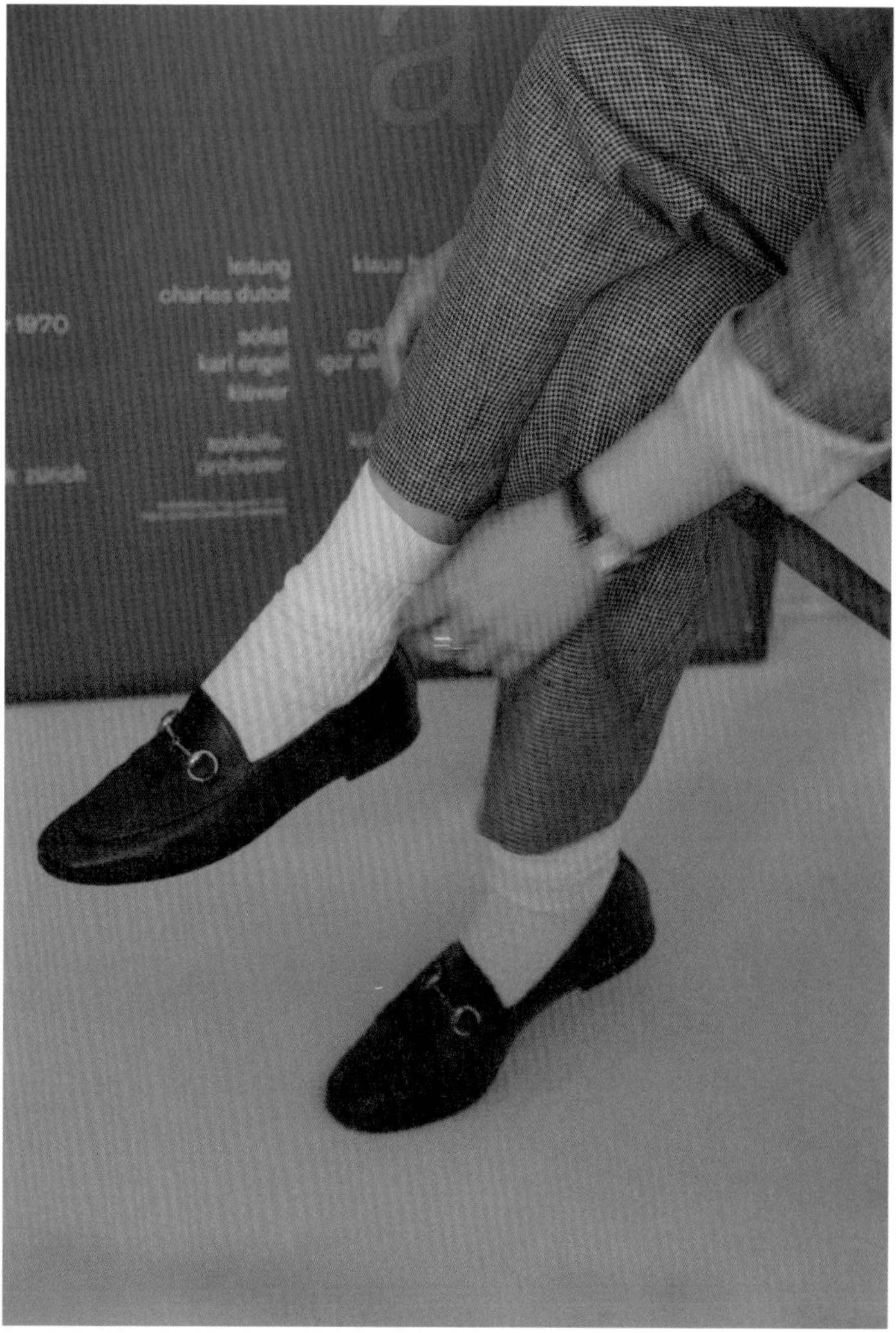

グッチのビットローファーは誰もが知る名品ローファー。
トラッドな雰囲気の中にきらりと光るビットが
とてもエレガントで、ずっと憧れていました。
柔らかいレザーなので、
素足でもソックス合わせでも足にフィットしてくれるので歩きやすさも抜群。
これからますます履く頻度が高くなりそうです。

アディダスのスタンスミス

時代も場所も超えて愛される、永遠の名品

30歳でフランスに留学した時、パリジェンヌは一人一足スタンスミスを持っているのかもしれないと思ったほど、この白いレザーのスニーカーが流行していました。

流行、というと少し違うかな。

だってこのスニーカーは永遠だから。

アイコニックなアイテムはたまに少しだけ忘れられてしまう。

だけど何度も何度も誰かがそれをまた探し出し、新しい素材や着こなしで蘇らせる。

すごいのは、名品は必ず蘇ることだと思います。

忘れられたり、爆発的に人気になったりを繰り返しながら。

まさに10数年前、何度目かの爆発中だったスタンスミス。

パリジェンヌだけでなく、パリジャンの足元もみんなこれ。

デニムもセンタープレスパンツもワンピースも足元はみんなこれ。

渡仏した時パリでトレンドになっているなんてつゆ知らず、日本から持ってきてよかった！と心の底から思ったものです。

だってパリでは売り切れていて買えなかったから。

№ 02

BRAND	adidas
ITEM	スタンスミス
COLOUR	white

いつでも、だれでも、どんな時でも、この一足

この一足のおかげでパリジェンヌの仲間入りをしたみたいで嬉しかったなぁ。

友達と、恋人と、子供と〝お揃い〟なんてレベルじゃない。

パリジェンヌみんなと〝お揃い〟(笑)。

パリジェンヌは人と同じものを嫌うと聞いていたけど、このスニーカーだけは別物だったようです。

そもそもこの靴の何がすごいかって、1971年にテニスシューズとして誕生してからずっと変わらないこと。アディダスがトレードマークの3本ラインを封印し、白レザーの無地にしたことでより洗練されて、スポーツのシーンだけではくタウンで人気となったそうです。

こんなにシンプルでミニマルなスニーカーは確かに探しても他にない。

唯一無二でしょう。

そしてコーディネートに困ったことが一度もない。

どんなボトムにも合うし、どんなスタイルにも合うし、どの時代にも合うんです。

初めてスタンスミスを履いた時から今日まで、古いと思ったことは一度もないし、スタ

イリングが難しいと思ったことも一度もない。

むしろ迷った時こそスタンスミス。

私のスタイリングを「素敵だね！」って誰かが言ってくれるのなら、その素敵の何割かをこのスニーカーが支えてくれているとすら思う。

どれだけこのスニーカーを信頼していることか！

それにしても白スニーカーってこんなにも定番になるなんて思っていませんでした。

白は汚れやすいし、膨張して見えたりするし、ファッションではなかなかデイリーに取り入れづらいと思っていたから。

そのジンクスはこの白スニーカーがあっさり破ってくれました。

世界一売れたスニーカーとしてギネスに登録されたこともあるそうよ。

ならばパリジェンヌとお揃い！なんて喜んでいる場合じゃないね。

世界中のみんなとお揃い！

そのシンプルでミニマルな雰囲気は、年齢も性別も時代も越えて、世界をひとつにしてくれるかも。

みんなでお揃いできるなんて、そんな〝名品〟もあるんですねぇ。

ドクターマーチンのチェルシーブーツ

雨の日だっておしゃれを楽しみたい！

昔々、イギリスの靴職人が即位して間もないヴィクトリア女王のために作ったそうな。シューレースがなくサイドのゴムの伸縮ですぽっと履けちゃうんだから、脱ぎ履きのしやすさに当時のイギリス人はびっくり仰天だっただろうなぁ。

それからだいぶ時は経ち、60年代にモッズなどのスタイルが流行したチェルシー地区でブームが起こったことからチェルシーブーツと呼ばれているこのサイドゴアブーツ。

私の中でドクターマーチンはUKストリートカジュアルの代表ブランドです。

今やどこのブランドでも見かけるサイドゴアブーツですが、私の初めてのサイドゴアブーツがまさにこれでした。

記憶をたどると、子供が生まれてからなのでたぶん10年前くらい。

雨の日の保育園の送り迎えにレインシューズが必要になったのですが、当時は長靴のようなものしかなくて、ロング丈の脱ぎ履きがなかなか大変で。

どうにか雨の日もおしゃれできないかなぁ、という私の執念がこのブーツに出会うきっかけになりました。

恐るべし、執念……からの引き寄せ。

№ 03

BRAND	Dr.Martens
ITEM	チェルシーブーツ
COLOUR	black

ロックなテイストはこのブーツにおまかせ

それからは雨の日が楽しみになるくらいとても気に入って、もちろん晴れの日もたくさん履きました。(正式にはレインブーツではありません。だけどこの10年、雨の日に履いて困ったことはないかなぁ)

30歳でフランス留学に行くまでは、ふんわり膝丈のスカートに9センチのヒールを履いていたのですから、私にとってこのブーツはなかなかの冒険。

パリにだいぶ鍛えられたのもあって、帰国してからはカジュアルなアイテムをすんなり取り入れられるようになっていました。

その頃は大好きな黒やグレーのスキニーデニムにボリュームのあるこのブーツを合わせるドクターマーチンらしいボーイッシュなコーディネートが好きでしたが、今はだいぶ仲良くなったので、むしろフェミニンなスカートやワンピースの甘さとバランスを取るために履いています。

これからの私達に必要なテイストはエレガントさとロックさ。

ロックなテイストはこのチェルシーブーツに全部お任せしちゃいましょ。

ドクターマーチンのチェルシーブーツは子供とも
お揃いにしているほど大好きなブーツです。
だんだんとサイズが近づいてきたのでそろそろシェアできるかも!?
レースのスカートやプリントのワンピースなど、フェミニンなアイテムのはずしに
履くことが多いのですが、今はロングヘアなので、エレガントさは髪に任せて、
思い切ってマニッシュなコーディネートに合わせてみようかな。

マノロ・ブラニクのパンプス

私の中の〝女っぽさ〟にぴったりなパンプス

全方位美しくて、私がいまだ歩けるパンプスがマノロ・ブラニクです。

少々ヒールが高くても。

40歳をすぎて体力的にも無理をできなくなったのは素直に認めますが（笑）、カジュアルブームはより一層盛り上がってきているし、パンプスを履かなくてもファッションは成立する時代です。

私も週7でペタンコ。

それはスニーカーだったり、ローファーだったり、バレエシューズだったり。


だけど月一くらいの頻度でやってくる、マノロデー。

あのとんがりやキラキラを心が欲するんです。

それってきっと本能。

そしてマノロの靴を履くと毎回同じことを思い出します。

私は〝女〟だって。

そのくらい女っぽい靴なんです、私の中で。

Nº 04

BRAND	MANOLO BLAHNIK
ITEM	ポインテッドトゥ パンプス
COLOUR	black

いつまでもマノロのシューズとともに

初めてのマノロは冠婚葬祭にも行けそうなベーシックなレザーのポインテッドトゥのパンプス。オケージョンに欠かせない黒いワンピースにもジャケットのセットアップにも合うし、デニムにもワークパンツにも合わせられる。

女心を掻き立ててくれて、着回しも効くなんてさすがとしか言いようがない。

そんな汎用性の高さも相まって、唯一無二なシューズブランドとしてたくさんの人から愛され続けています。

マノロの虜になったのは、我らがSATCのキャリー・ブラッドショー!

キャリーが目を輝かせる様子を見て、私も夢中になりました。

その後、ハンギシやメイセール、フラットなサンダルからローヒールと私のマノロコレクションも少しずつ増えてきましたが、今、気になるのはローファー。

ふんわりと足を包み込むあの感覚が、ヒールがあろうがバックルがなかろうが癖になること間違いなし。

自分の年齢にあったマノロのシューズと共に歳を重ねていきたいものです。

黒レザーのポインテッドパンプスがマイファーストマノロです。
今でも冠婚葬祭や気分が乗った時に履いたりしますが、
最近はもっぱらフラットが定番。
キラキラのハンギシはどちらも歩きやすく出番が多い二足。
マノロの靴を履いていると自然とちょっと気取っちゃうから不思議。
気分を上げたい時は、とりあえずこの靴に頼っています。

シャネルのチェーンバッグとバイカラーシューズ

エレガントかつ実用的なシューズ

「ベージュとブラックは、朝出かける時から、ランチタイム、カクテルパーティーに出席するまで一日どの場面にもマッチするのです」

これはガブリエル・シャネルの言葉です。

確かに、デニムにも合うし、リトルブラックドレスにも合う。

なんて着回しが効くんだろう。

肌に馴染むベージュは脚を長く見せてくれるし、黒いトゥは足を小さく見せてくれる視覚効果があるそうで、エレガントでありながらちゃんと実用性のあるこのバイカラーシューズは新しい時代の〝ガラスの靴〟と呼ばれているそうです。

現代の靴は色々と工夫されていて、クッション性があり、たくさん歩いても疲れないだとか、雨の日も履けるだとか、便利なのが当たり前になっていますが、この頃からちゃんと実用性を考えてデザインされているなんて。

だって美しければ、着心地や履き心地が多少悪くても仕方がない時代だったはず。

だからこそ生まれた女性のリアルブランドなんでしょうね。ますます憧れは膨らむばかりです。

No 05

BRAND	CHANEL
ITEM	チェーンバッグ バイカラー フラットシューズ
COLOUR	black,beige

いつでも自信をくれる、シャネルのバッグ

もうひとつお気に入りのシャネルのアイコンを。

それはマトラッセというキルティングバッグ。

私にとって二代目のこのチェーンバッグは、母となりおしゃれに自信をなくしていた時の大きな支えとなりました。

デザイナー自身が、両手を自由に動かせるバッグを必要としたことから誕生したこのバッグはチェーンを短く持てばきちんとしたショルダーバッグとして持てるし、長くすれば斜めがけをして、子供と一緒でも便利なママバッグにもなります。

そう、こちらも美しいだけじゃなく実用性に富んでいるのです。

洗濯できない服、大ぶりのアクセサリー、ヒール……私を武装させてくれていた色々なアイテムが、子供と一緒に過ごすとなるとしっくりこなくて、どんな格好をしたらいいかおしゃれ迷子になった時期がありました。

そんな時、デニムでもスニーカーでも、このチェーンバッグがあれば、どこへ行くのにも自信が持てたんです。

自信を与えてくれただけじゃなく、両手も空いてしっかりと子供を追いかけ、抱きしめ

ることができる。

コットンやリネンの洗える実用的な服だって、マトラッセがあればたちまちモードに。

生まれた時代も国も全く違うガブリエル・シャネルという女性に、私は何度救われたことでしょう。

どんな時代のどんな女性をも魅了し続けるシャネルというブランド。

「私は流行をつくっているのではない。スタイルをつくっているの。」

こちらも有名すぎるシャネルの名言です。

この言葉通り、それはちゃんとスタイルとして今も語り継がれています。

そしてきっとこれからも。

シャネルの定番となったバイカラーシューズとチェーンバッグ、これからの進化がたまらなく気になります！

カゴバッグ
コレクション

ただそこにあるだけで可愛いカゴバッグ

自他共に認めるカゴ好きです。

小さなものから大きなもの、日本の伝統的なものからフレンチ仕様のバスケット、お買い物用のマルシェバッグからブランドのアイコニックなアイテムまで。

マニアですね、完全に。

カゴはスタッキングできないのでかさばるし、クローゼットをすぐいっぱいにしてくれる厄介者でもあります。

ただそこにあるだけで可愛いという……本当にそれだけで許され、愛されています。

少なくとも私には（笑）。

季節もトレンドもテイストも関係なく持てるのが、このカゴバッグ達のいいところだと思っています。

カゴバッグは夏のもの、というイメージもありますが、私は冬のざっくりしたニットやコートに合わせるカゴも大好きです。むしろ抜け感になっていい感じ。

ざっくりしたニットや、ウールのチェック、ファーなんかとも相性がいいので、冬にもぴったり。

№ 06

①senses(hand paint)
②12closet collaboration
③山葡萄(handmade)
④Nantucket Basket(handmade)
⑤LOEWE

カゴバッグから離れられない!

パリではみんな季節関係なく、週末のマルシェにエコバッグ代わりにカゴバッグを使っていました。

ウールのロングコートを着てハットをかぶった白髪の紳士が、マルシェカゴを持って買い物をしている姿はなんとも可愛らしく、同時にものを大切にするフランスのかっこよさを思い知らされます。

またそのマルシェバッグのいいくたびれ具合。

何度も修理されたあとがむしろ素敵に見えるなんてね。


さて、私はいつからこんなにカゴバッグが好きになったんでしょう。

忘れもしない、あの写真がきっかけです。

ジェーン・バーキンと検索したら絶対出てくるあの写真!

白いピタッとしたTシャツに履きこまれたブルーのデニム、手には荷物がザクザク入れられたワンハンドルのバスケット。

この写真をきっかけに白T、デニム、バスケットは私の思い入れのあるアイテムになったわけですが、特にこのバスケットに関しては、カゴバッグ屋さんとのコラボレーションで再現したことがあるほど。そして、このワンハンドルのバスケット、作ったのは私ではないけど、私の心に大きな変化をもたらしました。

このコラボ以降、私の中でカゴバッグは買うものから作るものに変わりました。

もうコラボレーションでは飽き足らず、ついには教室に通い始め、自分で編み出すという（笑）。

私の異常なまでのカゴへの愛よ！

数年前に買ったロエベのバスケット風レザーバッグも、私の中ではもうカゴと一緒。

クラフト感溢れるこのシリーズは職人を大事にしているロエベならでは。

見た目の可愛さ、実用性ももちろんですが、職人の直向きさに心打たれるんです。

和には和の、洋には洋の趣があって、そのどちらも私のスタイルを作るのに欠かせないカゴバッグ達。本当に何にでも合うんだから！

どんなにキメキメな格好もエフォートレスな雰囲気に仕上げてくれるカゴバッグ。

手仕事のぬくもりを感じさせてくれるカゴバッグ。

置いてあるだけで可愛いカゴバッグ。さて、次は何を編もうかな〜。

ザ・ロウのトートバッグ

定番だからこそよりシンプルに

ここ数年で一番出番の多いバッグです。

週の半分はこれ、そして半分はカゴかな……ってことは月の半分、年の半分をこのバッグで過ごしているってことかしら!?

レザーだし、たまにはメンテナンスして休ませてあげなくちゃ。

そもそもレザーのトートバッグというのは定番中の定番で、きっとどのブランドからもでている言わば、バッグの代表のような存在。

しかも黒。これ以上ベーシックなバッグは他にないかも。

調べたことも調べようもないけど、男女合わせて黒のレザーバッグというものがこの世で一番多いバッグのような気がしています。

私も、過去いくつかレザーのトートバッグを使ってきました。

どれもこんなにヘビーには使っていなかったと思いますが。

柔らかいレザーのもの、柄のあるもの、ロゴが入っているもの…などなど。

実は今は色々な事情でどれも手元にはなくて、このザ・ロウのトートバッグが私の唯一の黒レザートートかもしれません。

№ 07

BRAND	THE ROW
ITEM	バークトートバッグ
COLOUR	black

日常の半分を支えてくれるトートバッグ

なんでそんなにヘビロテしちゃうかって？

だって現代の働く女性にはハンドバッグの容量では足りないのよ、どう考えても。

ミニマリストなら話は別ですが、子供がいなかった時代も、パソコンを持ち歩かなかった時代も、荷物の多い私はハンドバッグで足りたことはありません。

いつも何かサブバッグを持っていたんですよねぇ。

週末や夜遊びや式典用に小さなバッグも持っていますが、デイリーで使おうと思うと、一緒にサブバッグを何個も持たなければならなくて、なんだかスマートにキマらない。

ｉＰａｄを持ち運ぶライフスタイルになったので以前使っていたレザーのトートバッグを引っぱり出してきたのですが、驚くほどクタクタに味が出ていて、これにタブレットなんか入れたら穴が空いてしまうかもしれないと不安になり、新しくトートバッグを探すことになったのです。

ジャケットやセンタープレスのパンツにも合うようなきちんと感があって、デザインはとにかくシンプルで、色はやっぱり何にでも合わせやすい黒、そしてのびのびにならない丈夫なレザーで、もしできることなら本当にさりげないアクセントがあったらいいなぁ……。

こんなわがまま、普通叶いませんよね。が、私はわりサクッと出会えたのです。

ザ・ロウのトートバッグに。

なんでもない黒のレザーのトートバッグは一目見てザ・ロウだとわかります。

ロゴも驚くほど小さいし、特に目立ったデザインはないけれど、華奢なストラップ、大きなマチは他で見たことのなデザインでした。

ミニマルなデザインほど難しいものはないと思っていますが、このトートバッグにはシンプルながら存在感があります。そしてとにかく丈夫。

週の半分を共にしてもびくともしないのですから。

きっと次買う時はこれの色違い、もしくは同じ黒。

そのくらい惚れ込んでいます。

安いものではありませんが、これだけ登場するならコスパはきっと悪くない。

数年きっちり使い込んでこの綺麗さなら、もしかしたら買い替えることはないかもしれません。

きっと来年も私の毎日を支えてくれるであろうザ・ロウのトートバッグ。

早くくたびれてくれないと新しいのを買えないじゃない！（笑）

グレゴリーのデイパック

学生の頃からの相棒リュックサック

10代の頃、大人気だったこのグレゴリーのリュックサックですが、当時誰が何色を背負っていたか思い出せるほどカラーバリエーションがあって、友人が色違いで持っていたんです。

もちろん旅やアウトドアシーンでも活躍しますが、ちょっとそんな雰囲気を醸し出しつつもスタイリッシュにタウンで持てるデザインが人気でした。

今となれば都会で持てるリュックサックはたくさんあるし、なんなら通勤できるリュックサックもバリエーション豊富です。

PCを持ち歩くことが当たり前になったので、もうリュックなしでは生きていけない人も多いのでは？

便利ですよねぇ、リュックサックって。

重い荷物もちゃんと両肩で支えられるし、両手は空くし。私もすっかり虜です。

古着やアメカジが好きだった時代は私も愛用していましたが、その後、コンサバ時代が訪れリュックサックとは無縁の生活が長く続きました。

№ 08

BRAND	GREGORY
ITEM	リュックサック
COLOUR	black

グレゴリーとの幸福な再会

ライフスタイルもだいぶ変化し、アスレジャーファッションが心地よく思えてきた数年前、もう一度リュックサックに挑戦しようと探し始めましたがすっかり様子がわからなくなっていました。

色々リサーチした結果、

「リュックといえばグレゴリーでしょ。」

本当だ。夫の何気ない言葉に、深く納得したのでした。

そこで10年以上ぶりにグレゴリーに再会。

昔と変わらずすんなりと私の背中に馴染んでくれました。

選んだのは黒。

綺麗な色がたくさんあるので迷いましたが、まずは黒からスタートしようと。

私は26リットルのデイパックを選び、丁度小学生になった子供に一回り小さい18リットルのファインデイを買いました。大きさ違いのグレゴリーのリュックサック。

今はまだお揃いを許してくれるけど、いつか嫌がる日が来るのかなぁ（笑）。

それまでまだまだ頑張ってよね！

学生に頃から愛用していたグレゴリーのリュックサック。
iPadを持ち歩くことが多くなったので、リュックの出番が増えました。
私は定番デイパックを、子供はそれを少し小さくしたファインデイを
愛用しています。黒を選んだので、アウトドアすぎず、
モノトーンの大人っぽい配色のコーディネートにもすんなり馴染んでくれます。
どうしてもカジュアルなアイテムは黒ばっかり選んじゃうのよね。

愛してやまないエルメス

エルメスへの愛が止まらない（笑）。

ブランドの歴史、理念、遊び心のあるデザイン、プロジェクト、職人のものづくり…

全部好きです。

美しい馬のオブジェから子供の落書きみたいなイラスト、手の届かないブランドと思いきや、急に身近に感じる時も。

一体なぜこんなにもエルメスが好きになったのか。

それはこのブランドが大事にしているものが、人とか、動物とか、自然とか…

私達のとても近くにあるものだと思うから。


だからとてもあたたかく感じるし、それが逆に最高にエレガントに感じる。

私が勝手に感じているコンセプトですが、きっと本当。

だから世界中の人をこれだけ長い間魅了できているんだと思います。

それと愛が止まらない理由のもうひとつはこのブランドにはトレンドがない気がするんです。

何もかも永遠のものしかない。

エルメスのスカーフの柄が、Hのバックルがたまたまトレンドになることはあるけど、エルメスがトレンドを追うことはない、そんな印象。

もちろん全てが最高級のものだから、失敗なんて許されない。

でもトレンドがないブランドなら失敗することもない。

エルメスは何を選んでも正解なんです。

何を選んでも名品です。

名品とは古くならないもの。

現に、私のエルメスのバッグはほとんどのものがヴィンテージです。

ヴィンテージとして新品以上に価値を発揮するのは本物の証拠。

むしろ新品より、より付加価値があります。

このブランドに初めて出会ったのはシャルル・ド・ゴール空港。確か（笑）。

もう何十年も前の話なので少々うる覚えですが、その頃は旅先でスカーフを買うのが楽しみのひとつでした。


その国から得たインスピレーション、新しい感覚、そんなものをスカーフの柄に込めて、思い出として集めていたんです。

時にはモノクロのシックなスカーフを、時には華やかなピンクの花柄を。

スカーフを眺めるたびに、旅先での出来事を思い出したり、ハプニングを思い出したりして懐かしい気持ちになります。

スカーフが好きになったのもエルメスの影響です。

馬が好きになったのももしかしたら。

今はバッグももちろんですが、乗馬のアイテムがとても気になります。

いつか大きな森を馬に乗って颯爽と走りたい、そんな夢ができました。

まだまだ乗馬のスキルが足りませんが、きっとその時はエルメスのスカーフをしたいな。

ケリー

ブラウンのケリーはヴィンテージショップで一目惚れしたもの。

こういう時に改めて思うんです。憧れ貯金していてよかった！と。バーキンの時から何かにピンとくるものに出会った時、それを手に入れられるよう少しずつ貯金をしています。使わずに数年過ごすこともあれば、マイナスになることも。何にしても貯金て大事ですね、やっぱり。

バーキン

憧れ貯金を始めたのは、このバーキンがきっかけなんです。ジェーン·バーキンが大好きで、ナチュラルでチャーミングで、あんな風になりたいと心から願っていました。貯金もたまりバーキンバッグを買うことができましたが、緊張して1年くらいは普通に持てなかったなぁ。バーキンを持つような特別な日を毎日待ち望んでいたけど、そんな日ってなかなかこない（笑）。

だから自分で少しずつ気持ちを変化させていったんです。特別じゃなくデイリーなバッグだと思おう、と。合わせてみたら、デニムにもスカートにも合う！ それを知ってからはどんな日も使えるようになりました。ジェーン·バーキンにはなれなかったけど、このバッグが似合う女性になりたいと今も憧れ続けています。

コンスタンス

パリコレの会場でフランス人女優がネイビーのコートに斜め掛けしていて目を奪われました。エルメスのコンスタンスは容量は少ないものの、必要最低限の荷物は入るし、気軽に斜めがけができるのにとびきりエレガント。Hのバックルがポイントになってくれるので、コーディネートがシックならシックなほどいい。

エルメスローファー

パリで真っ赤のローファーを買ってから、あまりにも履きやすいので東京でキャメルを購入しました。素足でもソックスでも合うので気に入っています。シャツやデニムなどシンプルなコーディネートが多いので、ポイントになってくれる足元は欠かせないアイテムです。

カシミヤシルクストール

うっとりする肌触りのカシミヤシルクのストールは、普段にも旅にも欠かせないアイテム。肌寒い日はさらっと羽織ってもいいし、子供が小さい時、お昼寝したらブランケットみたいにも使っていたなぁ。柔らかくて軽いのでバッグにくしゃっと入れて持ち歩くだけ。

このストールを持っているだけで、安心して一日を過ごすことができます。

エルメススカーフ

旅先でその時の気分や街の雰囲気に合わせてスカーフを買うのが恒例になっていました。

首に髪にバッグに……シンプルコーデを盛り上げてくれるスカーフアレンジが大好きです。これは元々薄いピンクだったものを自分で藍染めしました。たくさん色が入っているより単色の方が今は気分に合うみたい。

おわりに

私にとって〝宝物〟ってなんだろう。

この本を書きながらゆっくりと宝物について考えることができたし、自分が大切にしてきたものを改めて整理することができました。

私にとって宝物とはもちろん、特別な形ある〝もの〟です。

両親がくれたパールのピアス、誰かに憧れて買った時計、お守りのリング……。目に入るたび、手に取る度、その時の気持ちがよみがえり、大丈夫だって安心したり、また頑張ろうって思えたりする、特別な〝もの〟。

そして物質的な〝もの〟とは別に、それにまつわる〝思い出〟は時にもっと大事。だって〝もの〟を手に取る時、必ず〝思い出〟がよみがえるから。

初めての本物に緊張してなかなか使うことができなかったこと、悩んでいた心が晴れて前向きになれたこと、その思い出は切ないものだったり、笑えるものだったり、恥ずかしいものもありますが、そういうもの全てが愛おしい。

大人になった今、愛おしい記憶なしに宝物は完成しません。

形のある〝もの〟と心の中の〝思い出〟、私にとって宝物とはそういうものでした。

たとえ、その人だけにしか価値がなかったとしても、思い出がつまったものならそれは宝物。

以前の私は自ら宝物に出会いに行っていたなぁ。

魅力的なものがあったら買うためにお金を貯めるとか、探すとか、どうにかそのものと出会うために行動していたと思います。

若さ！　若い時はいつも何か探してた（笑）。

探しても探しても自分のスタイルが見つからなくて、だんだん何を探していたのかもわからなくなって、途中自信を失ったり、嫌気がさすこともあったけど、どうにかかけらだけ見つけたり、あきらめたり……その繰り返し。

だけど今は少し違います。

待つことができるようになりました。

がむしゃらに探さなくても、必要なものとは必要なタイミングで出会えるもの。

そんな風に思えるようになったのはたくさんの経験を積んできたからですね。

むしろ待つことが楽しいです。
これから宝物になるかもしれないものとの偶然の出会いを、それに相応しい思い出を。
いつもどこかで待っているんです。
ワクワクしながら!
まだまだこれからも素敵なものに出会えるはずですよね?
みなさんも、私も。素敵な出会いがありますように。

福田麻琴

福田麻琴（ふくだまこと）

スタイリスト。1978年生まれ。『LEE』『VERY』『mi-mollet』など女性誌やwebマガジンのスタイリングを中心に広告、CMの他、エッセイの執筆、ブランドのディレクション、バイイング、コラボ商品開発など幅広いジャンルで活躍中。フランス留学を活かしたフレンチテイストに抜け感を加えたベーシックスタイルにファンも多く、Instagram、YouTubeも人気。著書に『38歳から着たい服』（すばる舎）や『ただ着るだけでおしゃれになる ワンツーコーデ』（西東社）、『私たちに「今」似合う服〜新しいベーシックスタイルの見つけ方』（大和書房）などがある。
Instagram:@makoto087
YouTube:FUKUDAKE?

MY BASIC,MY ICONS 10年後《ねんご》も着《き》たい服《ふく》

2023年9月8日　初版第1刷発行

著者　福田麻琴

撮影　魚地武大・渡辺謙太郎
ヘアメイク　川村友子
装丁・本文デザイン　八木孝枝

発行人　永田和泉
発行所　株式会社イースト・プレス
〒101-0051　東京都千代田区神田神保町2-4-7
久月神田ビル
Tel.03-5213-4700 Fax03-5213-4701
https://www.eastpress.co.jp

印刷所　株式会社広済堂ネクスト

ISBN　978-4-7816-2243-9